廃業寸前の会社を
打ち出の小槌に変える
オーナー社長の

最強引退術

宮部康弘
YASUHIRO MIYABE

幻冬舎 MC

廃業寸前の会社を打ち出の小槌に変える
オーナー社長の最強引退術

はじめに

2016年の日本政策金融公庫総合研究所による「中小企業の事業承継に関するインターネット調査」によれば、60歳以上の経営者の実に5割以上が廃業を予定しています。事業に将来性がなく、廃業すべくして廃業となる中小企業は仕方がないかもしれません。しかし廃業を考える経営者のうち3割は業績が良く、今後10年の見通しも悪くない、と答えており、本来廃業する必要のない、引き継がれるべき中小企業までもがこのままでは消えていってしまうことになります。

こうした状況を生んでいる背景には、中小企業の後継者不足が関係しています。戦後経済を支えてきた全国400万社ともいわれる日本の中小企業経営者の多くが高齢化してきている一方で、継ぎ手がおらず、事業承継がうまく進んでいないのです。

一般的に事業承継には3つの手法があり、1つめは子や孫などに引き継ぐパターンで、これがいちばん承継しやすいものでした。

これまでは親子を中心とした「親族間承継」によって、日本の中小企業の事業承継は緩やかになされてきました。しかし、近年は少子高齢化が進み、そもそも継ぎ手がいない、あるいは経営者の子どもも一般企業の勤め人となっていて継ぐ気がない、といったことが増えています。

2つめは、社内の役員や従業員に承継するパターンですが、この場合、最も問題となるのは多額の株の譲渡が絡むことです。不動産などを保有する場合は、株式評価もそれなりに高くなることが多く、そうすると社員が株式を買い取ることが難しくなってしまうのです。また、事業承継では基本的には会社の負債も引き継ぐので、多額の借入などは承継する側にとってのハードルを上げる原因になります。

3つめのパターンとしては第三者にM&Aを行い、事業存続を図るというものです。しかし第三者による事業承継では、できるだけ高く、かつ売却後の処遇も良いところに売りたい譲渡側の経営者と、できるだけ条件良く安く買い取りたい譲受側企業の間に利害不一致が起きやすくなっています。

このような事情によって、業績が悪くない会社の経営者ですら、自社の行く末を自分の引退とともに廃業しようと考えているわけです。

そこで私が提案したいのが、第4の選択肢です。

その方法は、まず引退する経営者が後継者になりたい第三者の候補者から1人を選び出して、会社の代表に就任してもらいます。しかし、株式のほとんどは引退する経営者に残し、経営だけを後継者に譲るというものです。この方法なら、株式の99％以上を引き続き所有しながら、経営だけを新しい経営者に引き継ぐことができ、譲ったあともオーナーとして配当金などの収入を得ながら、老後資金を確保しつつ承継することができます。

後継者のほうにも、買い取る株数が少ないので初期投資が少なく済むことや、一から事業を興して顧客や取引先を開拓するより、すでにあるリソースを活用して早い事業展開ができることなどのメリットがあります。

実際、私自身も引き継ぐ側として会社の事業承継をする際に悩まされたのは、株式の譲渡に関してでした。

私はもともと一介の保険営業マンでした。今、社長を務めている株式会社南星も営業先の一つだったのですが、ある日、前オーナーが末期がんで倒れ、余命いくばくもない状態になってしまいました。

忘れもしない2017年12月26日の19時03分。死を覚悟した前オーナーから1通のメールが届きました。そこには、私に南星を継いでほしいとあったのです。

私にはいつか経営者になってみたいという夢がありました。また、以前から南星という会社の起源や理念が好きでした。戦後復興の時代にものづくりを通して日本の役に立ちたいと創業したことや、南の空に輝く星のように日本を照らす存在でありたいと社名を「南星」としたことなどにロマンを感じていたのです。何よりも、同じくがんで逝った自分の父親の姿と前オーナーが重なって見え、「オーナーには後悔を残してほしくない」と思いました。

しかし問題は、先にも述べましたが株式の譲渡をどうするかです。私にはそのとき、南星の経営権を引き継ぐだけの株式を買い取る資金をすぐに用意することはできませんでした。また、いきなり財務内容も分からない会社を引き受けるほどの度量もありません。

とはいえ、ゆっくりと準備をしている時間は残されていませんでした。そこで当時、苦肉の策として考え出したのが、第4の事業承継手法、名付けて「株式ほとんど買わずに経営権だけ承継」だったのです。

そこで本書では、私が南星を継いだときの第4の事業承継手法を全国の同じような悩みを抱える人たちに向けて細かく解説していくことで、廃業以外の道を考えるヒントにしてもらえればと思っています。

また、その際には誰を後継者にするのかという問題も同時に考えなければなりません。この問題に対しては、私と同じように経営者になりたいと考えている人と、後継者がいなくて困っている中小企業経営者とを結ぶサービスがあれば良いのではないかと考え、「LEADERSプロジェクト」という新規事業を2018年8月に立ち上げました。事業承継における注意点として、ここでの活動内容も本書で紹介していきたいと思います。

経営学者のピーター・ドラッカーは「事業承継は偉大なる経営者が受けなければならない最後のテストである」という言葉を残しています。

後継者がいないだけで、廃業するのは勿体ない会社が日本にはたくさんあります。廃業は最後の選択肢としておいておき、まずは承継の道を探ってみてください。会社を継ぎたいと思っている後継者候補はきっといます。赤字でも零細でも、その事業に魅力を感じる人はいるのです。

本書が、後継者探しのヒントになれば幸いです。

目次

第2章 廃業は悪手 オーナーも従業員も社会も誰も幸せにならない

第3章 財産権を手元に残して老後は安泰 経営だけを第三者に承継する「最強の引退術」

第4章 マッチングから経営の引き継ぎまで 引退に向けて経営者がすべき25のこと

後継者探し・後継者選び編

オーナーと後継者の意思統一編

第5章 会社をつぶさず、後世に残すことが経営者としての最後の務め

第1章

私が他人の赤字会社を継いだ理由

人生を変えた運命のメール

２０１７年の12月26日、この日の夕刻、私は仕事仲間との忘年会の席に参加していました。全員が揃って「今年もお疲れ様。乾杯！」のビールを交わした直後、私の携帯電話がメールの着信を知らせました。「こんなタイミングで誰からだろう？」と、挨拶もそこそこに携帯画面を確認してみると、取引先の会社のNさんという社長からのメールでした。当時60歳くらいになる女性の社長でした。

彼女と私の出会いは２０１１年、知り合いの税理士から保険の営業先として紹介され、保険商品の契約をしてもらったのがきっかけでした。Nさんは１９４８年創業の「株式会社南星」という会社の5代目社長で、当時は南星グループとして本社と5つの子会社を束ね、６００~７００名の社員を抱えていました。

ゆくゆくはこの会社を一人娘に継がせたいと考えていた彼女は、ブレーンとなってくれる人材を探しており、私も金融の知識を貸してほしいと依頼されていました。私にはパートナーシップを結ぶ税理士や弁護士がいましたので、３人でチームを組んでNさんを支えることになりました。

ところが、2017年になってがんが末期へと進行し、自分に残された時間が少ないことを覚悟した彼女は会社の事業承継を急ぎました。この年の7月、私は南星の取締役に就任し、事業承継のお手伝いを始めたのです。

しかし、いざNさんが娘さんに事業承継の意思確認をすると、娘さんに「会社を継ぐつもりはない」と断られてしまいました。娘さんは地元を離れて就職、結婚をしています。家庭もある中で地元に戻り、経営者になる選択は難しかったのだと思います。Nさんは娘さんが継ぎやすいように子会社を清算したり、ものづくりをしていた工場を売却したりなどして事業規模の縮小を図りました。それでも娘さんの答えは変わりませんでした。

親子間の事業承継ではしばしば両者の考え方のすれ違いで、承継が成立しないことがあります。親のほうはわざわざ口に出して「跡継ぎになって」と言わなくても、子どもは分かっているはずだと思い込んでいます。一方、子どものほうは「親から事業承継のことを何も言われたことがないから、私以外の誰かが継ぐんだろう」や「地元を離れての進学、就職を理解してくれたのだから、私の人生を応援してくれているに違いない」と思っています。そして、いざ蓋を開けたら承継不成立、となることが少なくないのです。

社内にも会社を任せられそうな社員は数名いたのですが、誰かを選ぶことで組織が崩れることを懸念され、なかなか判断できませんでした。Nさんの焦りや苦悩を間近で見て、私は心が痛みました。自分の命はもうすぐ終わってしまう。会社は存続していかねばならない。しかし、後継者がいない……。

そんな中、2017年の10月にNさんは「ちょっと治療に行ってくるわ」と言い残して病院へ向かいました。軽い調子で言うものですから、私はまた元気になって戻って来てくれるものと思っていました。しかし、その時点で病状はかなり悪かったようです。結局、入院が長引いて私とはメールでのやりとりしかできなくなりました。

そして、運命のメールが忘年会の席にいる私の携帯に届いたのです。

メールは「件名：お願い」とありました。本文には「治療を頑張っているけど今回は無理みたい。私が命を捧げて支えてきた南星を、宮部さんに託します。」と書かれてありました。そして、最後の一文に「返却不可能（笑）」と書き添えてありました。

冗談めかして書いてはあってもNさんの願いは真剣なもので、これは遺言だと私は受け止めました。Nさんの最後の願いをどうするべきか……。一瞬にして様々なことが頭を駆け巡りました。

亡き父への想いが交錯

私は「10分だけ考える時間をください」と返信し、身の振り方を考えました。

そのとき頭に浮かんだことは2つあります。1つは、「南星という会社が好きだ」という気持ちです。もう1つは「亡くなる人に心配事を残してほしくない」という思いでした。

南星という会社はNさんの父親が中心となり戦後間もなく立ち上げた会社です。敗戦で混沌とした時代に、ものづくりを介して祖国復興に貢献したいとの思いから、南星工作所として開業しました。日本の南の空にいつまでも輝く星のように、祖国を照らす存在でありたいという高い理想のもと、社名をつけました。

創業当時の事業計画書が残っています。

事業内容の項目には「お金になることは何でもやる。細かい地金《じがね》も拾っていく」とあります。事業をするにあたってお金をどうするかという項目には「親戚中に頭を下げてお金を工面する」と、事業がうまく行かなかったときはどうするかという項目には「みんなで炭坑に入る」とあります。

現代のような小難しい事業計画ではなく、未来を切り開くロマンと「何が何でも頑張るぞ」という意気込みがストレートに伝わって来て、初めて読んだときに「カッコイイなあ」と感動しました。

私は先人たちの想いが詰まったこの会社が前から好きでした。また、具体的にどんな事業をしている会社なのか詳しいことは知りませんでしたが、保険の外交員時代から出入りしていてアットホームで雰囲気の良い会社だという印象を持っていました。

シンプルに、このまま後継者不在でつぶしてしまうのは惜しいと思いました。

「心配事を残して亡くなってほしくない」という思いには、私の父の死が関係しています。私の両親は私が小学5年生のときに離婚しており、私は母方に引き取られて大きくなりました。

父は小さな電気会社を営んでいましたが、離婚後に事業に失敗し会社を畳んでいます。そこから再起を図っている最中にがんで亡くなりました。

父と一緒に暮らしていた頃の温かい思い出はあまりなく、離婚してからはずっと疎遠でした。「父親なんかいなくていい」と思ったときもありました。

しかし、私が32歳になった頃、父ががんで闘病しているという知らせを聞き、会いに行きました。久しぶりに会った父は抗がん剤で頭髪がなくなり、爪が変色してガタガタになっていました。本人は「まだまだ生きる」と強気で言っていましたが、その弱々しい姿に私は「もう先は長くないんだろうな」と感じずにはいられませんでした。

そこから少しずつ二人でお酒を飲んだりして、少しずつ男同士の会話もできる関係になっていきました。父は家族に暴力を振るうような酷い男でしたが、それでも彼なりに一生懸命、生きてきたのだと思います。また事業を営んでいたときには、経営者としての苦悩があったことも知りました。

実はこのとき私も人生のどん底にいました。新卒で住宅メーカーの営業職に就職し、2年目でトップセールスマンになるなど順風満帆だったのですが、この経験で天狗になり、「自分は何でも売れる」と勘違いしてしまいました。会社の信用のもとで契約を取れていたのに、自分の力だと思い違いをして、「会社はもっと俺を評価すべきだ」などと思っていたのです。

私は住宅メーカーを辞め、フルコミッション（完全歩合制）の保険営業マンになりました。ところが、転職してからまるっきり契約が取れなくなりました。どん底は8年も続き、住宅ローンが払えないくらいギリギリの生活でした。

個人事業主として社会の厳しさを痛感していた最中でしたので、経営者としての父の苦労が身に染みて理解できたのです。

再会から半年後、父は息を引き取りました。死ぬ間際まで会社のことや事業の失敗で作った借金を気に掛けていた父のことが今も忘れられません。最後に父の耳元に「何も心配いらん。あとは任せていいけん」と言葉をかけると、父は初めて一粒の涙を流しました。

結局、父の借金は4億円もあり、家族と話し合って相続放棄を選択しました。父が残したかった会社はもうありません。

だからこそ、Nさんには父のように思い残すことなく、あの世に旅立ってほしいと思いました。

そして死の床で私にお願いメールを送ってきたNさんの気持ちを考えずにはいられませ

んでした。他に誰も頼める人がなく、最後の手段として私を頼ってくれたに違いありません。その想いに応えたい、なんとか力になりたいという気持ちが、私の中で湧き上がってきました。

メールに「南星は任せてください」と書いてNさんに返信しました。私が46歳のときです。

その後、年が明けた2018年の1月末、Nさんは故郷・熊本の土を踏むことなく、あの世へと旅立って行きました。

「経営者になりたい」の夢が突然叶う

南星を引き継ぐ決意をした動機の一つに、私もいつか経営者になってみたいという思いがありました。父が経営者だったことが背景にあります。

経営者という仕事が責任の重い大変な仕事であることは、自身のどん底だった時代の経験や父を見て理解していましたが、いつの頃からか私の中で「自分の会社を作って、どこまでやれるか試したい」という夢が生まれていました。

実際にいつか会社を経営するときに備えて経営塾で学び、人脈作りなどもしました。そのおかげで、スムーズな事業承継には何が必要か、後継者とはどうあるべきか、安心して会社を任せてもらうために先代と何を話し合えばいいか、業績の立て直しには経営のどこを見ればいいかなど、一通りの知識は頭に入っていました。

後継者になる準備という意味では、私はすでにほとんどのピースを揃えていたのです。そこに南星という最後のピースが飛び込んできてパズルが完成し、「いつか」が「今」になりました。すべてはなるべくしてなったのだと今では納得しています。

物事には不思議ですが「機が熟す」タイミングがあり、しかるべき時機が来れば運命に引っ張られるかのように、おのずと物事が決まっていくようです。


保険営業の仕事に未練がなかったと言えば嘘になります。その頃にはどん底を抜け出していましたから、仕事も生活も充実していました。

起死回生できた理由は、自身の慢心に気づいたことが大きかったと思います。自分の力を過信して、人を大切にできていませんでした。そのことに気づいてからは性根を入れ替えて頑張りました。

お客様本位の仕事をするようになってからは、今までが嘘だったかのようにお客様が増えていきました。

南星を継ぐかどうかを考えた10分間には、私を信頼して保険契約をしてくれた顧客のことが頭をよぎりました。

しかし、経営者になりたいという本音は変わりませんでした。

初仕事はトイレ掃除とお茶汲み

こうして私は南星を継ぐことになりました。世界広しといえどもメールで事業承継をしたのは、私くらいだと思います。

後継者としての初出勤は2018年1月5日でした。この日が仕事始めで、全社員が揃っていました。私は社員たちに「ちょっと挨拶したいので集まってくれますか」と声を掛け、自分がしばらくは社長代理に就任することを報告しました。

そのときNさんは東京で入院中で、いよいよ死が迫った状態でした。社員への説明はおろか、私を紹介することも不可能でした。社員にしてみれば、時々見かける保険屋が何を言い出すのかと思ったはずです。

そんなアウェイな空気の中で、私が最初にやったのは、みんなで近所の神社に初詣に行くことです。Nさんから前もって「毎年、新年は初詣から始めるので必ず行ってほしい」とメールで言われていたのです。

私はあえて元気よく「さあ、初詣に行きましょう！」と言ったのですが、逆に社員たちは一斉に凍り付きました。

社員たちと神社に向かう道中も、会話が弾まず黙々と歩くだけです。固まった空気がとにかく重苦しかったのを覚えています。

何とか初詣を終えて職場に戻っても、針の筵は続きました。Nさんから何も聞かされていないものですから、何をどうしたものやら勝手が分からないのです。

もちろん帳簿の確認や事業内容の把握、取引先への挨拶などやらなければならないことが山ほどあるのは分かっていました。しかし、それ以前に社内に私の居場所がありませんでした。席はあっても身の置き所がないという、何とも居たたまれない気持ちでした。

せめてNさんから「宮部さんに後を任せたから、みんなで力を合わせて会社を守ってください」などのひと言でもあれば、社員の受け止め方もまた違ったはずなのですが、今更どうにもなりませんでした。

最も急務だったのは、社員たちとの信頼関係を構築することです。社員にも私のことを知ってもらって、お互い協力できなければ会社は前に進みません。

では、何から始めるか……。知ったかぶりで指示したり、偉そうにふんぞり返っていても社員たちの心は離れていくばかりです。歴史ある会社だけあってベテラン社員も多かったので、高圧的な姿勢は絶対にダメだと分かっていました。仕事を教えてもらおうにも、みんな忙しそうで手を止めさせるのも気が引けました。

思案した結果、私はトイレ掃除とお茶汲みをすることにしました。

生命保険の営業マンだったとき、米国プルデンシャル生命保険の元会長、ロバート・ベック氏の「尊敬されよ、愛されよ。両方は無理なら、まず尊敬されよ」という言葉に触れたことがあり、ずっと頭に残っていました。新入りの自分が尊敬されることは難しいので、まず愛されることを目指そうと思って考え付いたのが、この2つでした。

これ見よがしに社員の前でトイレ掃除するのも格好が悪いので、誰よりも早く出社してこっそりやりました。ついでにみんなのデスクの拭き掃除もして始業時間を待ちました。社員たちが出社してきたら、コーヒーを出して迎えます。

内緒でやっていたトイレ掃除なのですが、ある日、社員に気づかれてしまいました。「宮部さん、毎朝トイレ掃除されてます？」と聞かれたので、「あ、はい」と頷くと、「トイレシートを流さないでもらえますか。流れが弱くて詰まっちゃうんで」とダメ出しをされてしまいました。「すみません、余計なことをしました」とばつの悪い思いをしました。デスク拭きも社員にバレてしまい、自分たちがいない時に机を触っている……という雰囲気になるし、コーヒーの味にも「濃いのは好みじゃない」と言われてしまうしで、ことごとく私が思っていたのと違う方向に行ってしまいました。

ところがそのうち一人の女性社員が私より早く出社して、デスク周りの掃除をしてくれるようになりました。他の男性社員も早く来るようになり、トイレ掃除を代わってくれたりなど、みんなが気遣ってくれるようになりました。

私を経営者としてはともかく、南星の一員として受け入れてくれたことがとても嬉しかったです。いい社員に恵まれたなと感謝しました。

辛かった午前6時3分

社内での居場所は少しずつできてきたものの、やはり「後継者として社員からどう見られているか」は非常に気になりました。経営者として相応しいかを審査されている気分です。

社員のほうも「俺らのことをどうするつもりなんだろう」と思いながら、業務にあたっていたことと思います。

お互いが探り探り、関係を模索していた頃、私は「会社に行きたくない病」にかかりました。会社に行っても仕事がないし、社員はまだまだ他人行儀だし、私は座っているだけの置物のようだと感じていました。

毎朝5時に起きて家のことを少しやってから、6時に出社するための身支度を始めるのですが、「会社に行きたくない」という逡巡があって、思い切るのに3分かかっていました。毎朝、自分と葛藤して、何とかギリギリ勝つのが6時3分でした。

私がこんなに頑張っているのに、どうして社員は分かってくれないんだという、もどかしさもありました。しかし、よく考えてみると、自分が逆の立場だったらぽっと出の後継者を受け入れるどころか、もっと強く反発していたに違いありません。今の社員たちが精神的に大人で、最大限努力して私を立ててくれていると気づきました。

その気づきを得たことで、私の中に「この人たちは味方なんだ」という思いが芽生えました。そこからお互いの関係性がほぐれ、私の「会社に行きたくない病」も少しずつ治っていったのです。

とはいえ、完全に治るまでは1年近くかかりました。その間は「修行」だったと思っています。

当時、私の中に「会社を継いであげた」という気持ちがあり、それが私を受け身にしていました。廃業するところを助けてあげたのだから、社員から歩み寄ってもらいたいと、思い上がっていたのです。受け身な自分に気づき、その間違いを認めて、社員たちへの感謝に変えていくのに1年もかかってしまいました。

「見えない爆弾」が次々見つかる

職場の関係作り以外にも問題はありました。会社の内情を知るうちに「見えない爆弾」が見つかったのです。

私が承継したとき会社は68期目でしたが、決算書を見て衝撃を受けました。なぜなら営業利益ベースで約3800万円の赤字があったからです。本業以外での利益が5000万円ほどあったので会社全体としてはギリギリ黒字だったのですが、本業が赤字というのは非常に危険です。

「私が気づいていない爆弾がまだあるのではないか……」そう考えると体が震えました。

そして実際いくつも爆弾が隠れていました。

最も大きな爆弾の1つは、他社に貸している不動産の賃料設定が滅茶苦茶だったことです。

もう1つ、他社に貸している工場の中に、建築基準法を満たしていない物件が見つかりました。この工場はもともと自社で使っていた製造工場で、生産ラインを増やすために防火扉や柱を勝手に撤去してあったのです。熊本地震クラスの地震や工場内で火災が起きて被害が発生したら、賠償責任は当社にあります。

それ以外にも、よく分からない費用なども複数見つかりました。


この時点で南星は親会社と子会社2社を残すのみで、事業内容は資産管理がメインになっていました。もともと子会社の一部が不動産管理業をやっており、さらにNさんが事業整理をしたときに閉じた事務所や工場が複数あったため、それらを他社に貸すことで収入を得ていました。

他社に貸すこと自体は構わないのですが、問題はその賃料が安すぎたことです。相場の半分以下の物件が次々に見つかりました。これでは赤字になるのも当たり前です。

そもそも、ものづくりの本業で儲かっていたので賃料収入をあてにしていなかったようです。

最盛期の南星はものづくり企業としてグループで90億円を売上げるほどの会社でした。それに比べれば賃料収入は微々たるものだったため、甘い賃料設定でも経営にはほとんど影響なかったのです。また、先代の経営者がみんな気前の良い人だった、という側面もありました。

しかし、資産管理を本業とする今の状態で、この賃料設定は自殺行為です。この出血をすぐに止めなければ南星に明るい未来はありません。

大きな爆弾が見つかったことによって、社長である私のすべき仕事がはっきりしました。借主と交渉して相場の賃料に戻すことです。やるべきことが決まると闘志が湧いてきました。

社員の力を借りて臨んだ賃料交渉

借主の企業側への交渉には、私と古くから南星で働いてくれているベテラン社員2名とで向かいました。先方は大手企業で交渉相手は遣り手の副社長でしたが、賃貸借に至った当時の経緯や事情をよく知る社員がそばにいてくれたおかげで、私も強気の交渉をすることができました。

交渉内容は至ってシンプルで「賃料を適正価格に戻したい」「その賃料を飲んでもらえ

なければ撤退をお願いする」というものです。

賃料がいきなり2・5倍になるので向こうもすんなり了承するわけにはいかなかったものの、何度も粘り強く交渉を続けました結果、最終的には先方も納得し、新たな賃料を受け入れてくれました。このときの取引先とは今でも一緒にゴルフをするなど、良好な関係が続いています。

この件以外の賃貸契約については、交渉するより契約更新しないのがベストという経営判断をしました。先代や先々代が昔からのよしみでタダ同然で貸していたため、一旦関係そのものを清算したほうが良いと考えたからです。1年単位での契約更新になっていたおかげで長引かずに助かりました。

この出来事を通して1つ学んだことがあります。それは、「ここは譲れない」というラインがはっきりしている人間は、強いということです。

「こちらの条件を飲んでもらえなければ交渉決裂でも仕方がない」と腹を括ると、相手の都合を考える必要がありません。条件だけ提示して、あとは相手の返事を待てば良いだけです。仮に交渉決裂しても別の借主を探せばいいのであれこれ気を揉むこともありません。

交渉に慣れてしまえば、そこからは段々と楽しくなっていきました。

ただし、「ここは譲れない」というラインがブレないための胆力は必要です。「ここからは動きません」と決めて実際に動かずにいるというのは、動くことよりも難しいことなのだと知りました。

徹底的なテコ入れで黒字回復

取引先との賃料交渉と並行して細かい財務を見直しました。たとえばあまり力を貸してもらえなかった経営コンサルタントに辞めてもらうなど、無駄な経費を徹底的にカットするなどのテコ入れを行いました。今までお世話になった人にリストラの話をするのは気が重いものですが、後継者の私には人間関係のしがらみが一切ないので躊躇うことなく顧問契約の解除をお願いできました。経営上必要ないと判断したモノや人をスパッと切りやすいというのが、第三者承継のメリットの一つです。

こうした経営改善策を行ったところ、翌年度(69期)には営業利益ベースで黒字回復を実現することができました。その後も3期連続で増益です。

売上を立てるという社長としての仕事を無事に果たせた充実感は、想像していた以上に格別でした。

事業承継したことに後悔はなし

2022年の1月で、私が南星を継いで丸4年になります。たった4年で答えを出すのは早計かもしれませんが、私はこの会社を継いで良かったと思っています。

おそらくこれから先も後悔することはないだろうと感じています。なぜなら私は社員に恵まれてきたからです。ほとんど何も分からず飛び込んだ会社ですが、こうやって前向きに進んで来られたのは、私を受け入れてくれた優秀な社員たちがいたおかげです。

最初の頃は「会社に行きたくない病」やストレス性の病気になったり、見えない爆弾に愕然としたりしましたが、それも乗り越えることができました。ゴルフでリフレッシュすることも覚えました。

もし会社を継ぐ前に爆弾の存在を知っていたとしても、私は継ぐことを選んだと思います。それくらいこの会社が好きでしたから、経営者になれたことには感謝しかありません。先代社長の娘さんが協力的であることも大きな支えです。

彼女は現在も南星の株主の一人ですが、私を次期社長として温かく迎え入れ、バックアップしてくれています。もし彼女の理解や支援がなければ、私は後継者になったことを後悔したでしょうし、ここまで頑張れなかったに違いありません。「おじいちゃん、お母さんの会社をよろしくお願いします」と言ってもらえたことは、私にとって何よりのねぎらいです。

経営者になることの醍醐味は、誰にも人生を支配されることなく、自分の判断で決めたことを自分の責任でできるところです。これこそ経営者がもつ最大にして唯一の特権なのです。

会社や従業員の雇用を守っていくプレッシャーは大きいですし、日々、何かを決断しなければならないことの連続なのは苦しいです。また経営者は孤独でもあります。

しかし、その苦労が報われるくらい、自分の手で事業を動かしていくというのは面白いものです。

「高齢オーナー」と「後継者になりたい人」を繋ぐ

ただ、自身の事業承継の経験を振り返って思うのは、私のした苦労を他の人にはさせたくないということです。また、Nさんのように後継者がいないオーナー社長にも事業承継の不安を抱えてほしくありません。

日本は今、超高齢社会で中小企業のオーナーも高齢化しています。そして、彼らの多くが後継者不在の問題に直面し、自分の代で会社を閉じることを考えています。実際に廃業を選択したオーナーの中にも、本音を言えば「本当は会社を潰したくなかったが、継ぎたい人がいないのでやむを得ない」という人が相当数いたはずです。

その一方で、私のように「いつか経営者になりたい」とか「希望の業種の会社があれば事業承継したい」と希望する後継者候補はたくさんいます。

この両者を繋ぐことができたら、お互いがハッピーになれるに違いない。そう考えて、私は2018年8月に、「LEADERSプロジェクト」を発足しました。未来の後継者を育成し、事業承継したいオーナーとの縁を結ぶサービスです。LEADERS（リーダーズ）というのは、英語で「後継者」という意味です。

LEADERSプロジェクトでは、私の他に軍師アカデミーで共に学んだ仲間（税理士、弁護士、社労士など）を講師陣に迎え、事業承継の手法や後継者としての心構え、経営的な知識などを教えています。そして、パートナー企業として登録された事業承継先の中からマッチングを行い現オーナーと後継者との橋渡しをしています。

魅力ある中小企業を「後継者がいない」という理由だけで潰してしまうのは、あまりに勿体ないことです。事業承継を考えるオーナーの皆さんがLEADERSプロジェクトのプラットフォームに来れば、力のある後継者候補と出会うことができ、事業承継を叶えて会社を未来に残していける――そんな仕組みを作りたくて、私はこのプロジェクトを立ち上げました。

第2章

廃業は悪手　オーナーも従業員も社会も誰も幸せにならない

中小企業の半数は後継者がいない

私がＬＥＡＤＥＲＳプロジェクトを立ち上げた背景には、日本の中小企業が抱える社長の高齢化や後継者不在の問題があります。

中小企業の社長の高齢化は以前から社会問題になっており、事業承継で若返りを図ることが推進されてきました。しかし、歯止めはかかっていません。２０２０年には国内約94万社を対象にした調査で、社長の平均年齢が初めて60歳を超えました。

調査元である帝国データバンクは「年齢に関係なく第一線で活躍し続ける社長が多いことを示している反面、事業承継の観点では課題の一つになり得る。」と指摘しています。

中小企業庁の『事業承継マニュアル』によれば、廃業を予定している中小企業のうち、約3割は廃業の理由に「後継者の確保が難しい」を挙げています。廃業予定企業の4割超は「今後10年の事業の将来性はある」と答えているにも関わらず、廃業を選択するしかない現状が浮き彫りとなりました。

東京商工リサーチの調査によると休廃業・解散に至った中小企業の経営状況は、6割は黒字（売上高当期純利益率がプラス）です。利益率が5％以上の企業も25％あります。これは東京の中小企業が対象ですがおそらく全国的にも同様の傾向があるはずです。

中小企業の廃業で26兆円のGDPが失われる

事業承継はそれぞれの会社の問題と思われがちですがそうではありません。日本の全企業のうち99・7％は中小企業が占めています。この国の経済を支える屋台骨である中小企業が廃業でどんどん消えていくと、日本の国力が大きく失われてしまうのです。

だからこそ国も危機感を持って事業承継の問題を解決しようと、様々な取り組みをしています。それがなかなか効果を表さず、中小企業の廃業は年々増える一方なのは大きな社会問題です。

中小企業の廃業によって日本の経済にどのくらいの打撃があるかを専門家たちが予測しています。

中小企業庁の安藤久佳長官（当時）は、2019年の年頭所感で次のように述べています。

「経営者の高齢化は大きな課題です。2025年には経営者の6割が70歳を超え、多くの中小企業が廃業する結果、約650万人の雇用が失われるとの分析もあります。実際、事業者数は年間10万者程度のペースで減少しつつあり、足下では358万者まで減少しています。こうした〝待ったなし〟の課題に対して、早め早めの円滑な事業承継は有効な解決策の一つです。」

もっとシビアな見方もあります。

『日本政策金融公庫論集』の第47号（2020年5月）には、自分の代で事業をやめる予定である「廃業予定企業」が52・6％、200・2万件に上るとあり、実際に廃業することによる影響として、「従業者数704・3万人、付加価値額25・1兆円、売上高110・3兆円が失われる」との推計を示しています。

日本の2020年の実質GDPは529兆円でしたが、中小企業の廃業によってその5%近くが失われることになってしまうのです。

事業承継を阻む3つのハードル

「事業の将来性がない」とか「地域に発展性がない」という場合は、承継は困難かもしれませんが、せめて「事業は続けたいが、後継者がいなくて廃業せざるを得ない」という3割の企業を廃業から救い出せたら、日本の未来も変わって来るはずです。

しかしながら、後継者不在の問題は一朝一夕には解決しないのです。

中小企業が自社で後継者を育てる仕組みがあれば良いのですが今まさに後継者問題に直面している高齢オーナーにとって、仕組みを一から作り、何年もかけて後継者を育てるだけの時間的余裕はありません。

では、社外から後継者になれる人材を見つけて来れば解決するかというと、これも難しいのが現状です。そもそも後継者を見つけるシステムがこの国には未整備です。

仮に好人材が見つかったとしても明日からすぐ会社を任せられるわけではなく、やはり自社に合わせた経営やリーダーシップ教育の期間が必要です。

すでに後継者が育っている場合でも、自社株を買い取らせるための資金調達が難しかったり、後継者をサポートする幹部たちが育っていなかったりといったハードルがあります。さらに、社長自身が社長業の引退に前向きになれない事情や引退後の生活への不安などもあって、事業承継が先延ばしになっている場合もあります。

事業承継が進まない理由は次の3つがあります。

①自社で後継者や幹部を育てる余裕やノウハウがない
②自社株評価が高く、後継者に資金力が必要
③社長に引退への意欲がない

これらを全部解決することができないと事業承継は成功しません。

自社で後継者を育てる難しさ

後継者や後継者を支える幹部を育てるというのは、大企業でも大きな課題です。海外では大学に「グローバルリーダーシップ」などのプログラムがあり早くからリーダーシップを学びますが、日本では力を入れている大学はまだ少数です。

また、日本では会社に入ってからもある程度の実績を積まないと役職が与えられません。そうすると、部下ができてリーダーシップを意識するのが、30代後半とか40代頃になってしまいます。そこから勉強して現場でリーダーシップを発揮できるようになるまでには更に時間がかかります。

だからこそ、大企業では人材開発・育成のための専門部署や担当者を割いて、会社ぐるみで未来のリーダーを育てているのです。

しかし、中小企業では専門の部署や担当者を置くだけの資金的な余裕もなければ人材の余裕もないのが普通です。外部から講師を招くのも1回や2回では効果が薄いのです。継続してとなるとお金がかかります。

そもそも従業員数十人規模の会社で、将来リーダーになれる可能性のある人材を育成するのは困難です。

また、将来のリーダー候補として育てた人材が流出しやすいことも頭の痛い問題です。リーダー候補になれる人材というのは優秀な人たちなので、他社にヘッドハンティングされたり自身でキャリアアップを目指して転職していったりしがちです。

そもそも中小企業ではオーナー自身も人材育成をされて今のポストにいる人は少ないのです。もともと持っていた素質の高い人が創業したり後継者に抜擢されたりしているケースが多く見られます。「天才は良い指導者になれない」とよく言われるように、持ち前のセンスと才能でリーダーになれてしまった分、人に教えるのが苦手な傾向があるようです。

また、中小企業では多くのオーナーが現場のプレイヤーを兼ねています。私の身近にも経営と製造責任者と営業を一手にやっている社長がいます。

こういう場合、日々の仕事で一杯になってしまい社員の育成にまで手が回らないというマンパワーの限界があります。「後継者不在をどうにかせねばと常に頭にあるのだが、正直言ってそれどころじゃない」というのが本音のようです。

もう1つ、後継者が育ちにくい理由を挙げるとしたら、中小企業ならではの「朝令暮改の経営」があります。世の中の動きが早く、物事が常に流動しているため、朝決めた方針が夕方には変わってしまうことが多々あります。社長も迷いながらその時々で最善と思えるものを選択して行くと方針転換が増えてしまうのは当然のことです。

朝令暮改の経営が常態化した会社では社長の言うことに付いていくしかありませんから、組織がイエスマンばかりになりがちです。中小企業が生き残っていくためのスピード経営にはワンマン的な強いリーダーシップが必要なのですが、それと引き換えに、自主的に考えて動く人材が育ちにくくなります。後継者になり得るような自分で考えて動きたい人材は社風に馴染めず、転職して出て行ってしまうのです。

これはある意味では仕方のないことなのですが、事業承継という点では非常に不利になります。

資質があっても後継者になれない

日本で現在行われている一般的な事業承継の方法は、後継者に自社株の全部もしくは大半を持たせて、筆頭株主にするというものです。親から子への親族内承継でも、他人に継がせる第三者承継でも、後継者が自社株の大半を持つことになります。発行済株式の過半数を持っていないと、多数決の原理で後継者の決裁が通らなくなるためです。

この場合、自社株を買い取る（親族内では相続・贈与になるので相続税・贈与税の負担）だけの資金力が後継者には求められます。

自社の株価がどれくらいになるかは顧問税理士に算出してもらうと良いですが、業歴の長い会社ほど内部留保が多くなっていることが多く、1株が100万円以上になることも珍しくありません。発行済み株式数が100株としても1億円です。

さらに自社株以外にも不動産や機械などの事業用資産を買い取らないと事業を行っていけません。場合によっては2億3億のお金が必要になります。

これだけの金額を後継者が調達できるかが高いハードルとなっています。

中小企業庁の「中小会社を巡る状況と事業承継に係る課題について」という調査でも、事業承継において心配な点として「後継者の資金面での負担」を挙げているオーナーが多くいます。

後継者としての資質があっても、資金力の問題から事業承継を諦めてしまう事例が実際に起きているのです。

引退を先延ばしにするオーナー社長

オーナー会社の社長には会社への愛着があります。人生の大半を捧げて会社を大きくするというのは、自分の城を築くようなものです。大切に守り育ててきた分、手放したくないという気持ちが大きくなるのも当然です。

仕事が好きな人が多いです。「経営は大変だけれど、現場の仕事が好きでなかなか第一線を退けない」「できれば生涯現役を貫きたい」という声をよく聞きます。

仕事人間でずっと来たので引退した後の生活に不安がある、という人も多くいます。読者の中にも「仕事以外に趣味もなく、何をしたらいいのか分からない」とか「仕事をしないとボケてしまうのではないか」といった思いを抱いている人がいると思います。

「積極的にやめるきっかけがない」というのがあります。社長には定年がないので、本人のやる気と元気があれば生涯現役も可能です。そのため、病気など体力に不安が出てから事業承継を本気で考える人が多いのです。

社長業をやめると人生が大きく変わることになるため、その一歩を踏み出すエネルギーが必要です。会社への未練を断って、「よし、これでやめるぞ」と思い切るのは大変なことです。

事業承継をしようと思うと、様々なハードルを越えなくてはならず、更に大仕事になります。だから「いっそのこと自分の代で終わりにしよう」と廃業を選んでしまうのかもしれません。「どうせ後継者もいないし、自分の会社だから自分の好きにしてもいいだろう」と考えるオーナーもいるようです。

「生涯現役」は危険な合言葉

中小企業のオーナーにとって「生涯現役」というのは一つの憧れだと思いますが、事業承継の観点から言うと非常に危険な考え方です。後継者がいての生涯現役はいいとして、後継者不在の状態での生涯現役は、バックアップのないパソコンと同じです。何の準備もないまま病気で倒れでもしたら、それこそ会社や従業員を放り出すことになってしまいます。

会社の連帯保証のこともあります。会社の借入金3000万円の連帯保証人になっているオーナーが万が一、亡くなってしまった場合、その3000万円はどうなると思いますか？

後継者がいてオーナーの死去後に会社を継いでくれれば、事業を続けていけるので返済していけますが、後継者がおらず廃業になってしまうと、法定相続人である配偶者や子がそれぞれの相続分に応じて返済義務を負うことになります。

返済ができなければ相続放棄の可能性も出てきます。相続放棄は故人（被相続人）の一切の財産を放棄することなので、自宅が被相続人の名義だった場合それも手放すことになります。配偶者は亡くなるし、会社もなくなるし、自宅もなくなるのでは、立ち直れそうにありません。

そう考えると、家族にとっても生涯現役は迷惑になります。

一般に後継者を育てるには最短でも3年かかると言われています。社内外の人間関係作りなど丁寧にしようとすると、5年10年かかることもあります。病気などで経営が続けられない状態になってから事業承継を始めたのでは遅いのですが、実際には体力的な不安が出るまで頑張ってしまうオーナーが目立ちます。

先日ある本で脳科学の興味深い話を読んだのですが、人間の脳は高齢者になるとポジティブ志向になるそうです。自分が年老いるにつれ、できないことが増えていくのを直視するのは辛いので、今できていることに目を向け、「自分はまだまだいける」との自己評価をして安心するのだとか。

その本には「70歳80歳になると、自分にとって都合のいいものや過去の良かった経験だけを選択して見るような脳の形になっていく」と書いてありました。

たとえば、高齢者の自動車運転事故が増えていますが本人は自信を持って運転していま す。周りの家族が免許返納を言っても、「今できていることを手放したくない」という無意識の心理が働き、「運転の腕は落ちていない。まだ大丈夫」というポジティブな判断をしてしまうのだそうです。

高齢者の皆さんにとっては耳の痛い話ですが、経営においても同じことが言えるのではないかと私は思います。

先日、LEADERSプロジェクトのパートナー企業に登録してくれた社長の話を紹介します。

この社長も実子の中に後継者になれる人材がおらず、甥っ子さんを入社させて期待していました。

特殊な鈑金加工をする会社で、社員には職人が多く、自分より技術的に劣る相手は尊敬しない気風があります。甥っ子さんに対しても同様で、「仕事のできんやつは丁稚だ」くらいの感覚で、甥っ子さんの言うことを全然聞きませんでした。それで甥っ子さんは臍を曲げて会社を出て行ってしまったそうです。

社長は親族内承継は無理だと諦めて、社内承継を検討しました。現場仕事もできて営業もできる社員がいるので、彼を後継者に据えようかとも考えたのですが、お金に汚いところがあり、「社長の器ではない」と判断されたとのことです。

私が「M&Aは検討されなかったのですか」と聞くと、「業界での立場もあり身売りなどできない」とのお答えでした。

第4の事業承継の話をすると、「誰が来ても職人を認めさせるのは難しいかもな」「今の売上の半分は俺の信用で成り立っているから、それを引き継げるだろうか」と言いつつ興味を持ってもらえました。

その社長と話してみて感じたのは、まだ社長業に未練があるということです。その気持ちがある限り、事業承継はどこか現実味のない話であり、本格的に後継者探しもできません。

これから少しずつ気持ちの切り替えや後継者のマッチングなど事業承継に向けての準備をしていく予定です。

地方のほうが事業承継のハードルは高い

事業承継のしやすさで言えば都会の企業と地方の企業を比べた場合、地方のほうが難しくなる傾向があります。

理由の1つは、地方のほうが事業規模の小さい会社が多いことです。「こんな小さな会社、誰も継ぎたがらない」とか「こんな地味な事業はもう流行らない」「うちのような小さな会社がなくなったところで、どうってことない」と考えて、事業承継を諦めてしまうケースが多くあります。

2つめの理由は、地方には優秀な若者が残りにくいことです。

地方はどこも同じだと思いますが、大学が少ないので勉強の良くできる子どもはほとんど都会に出て行ってしまいます。大学進学で都会に出て、そのまま就職や結婚をするケースが非常に多く、地元にはなかなか帰ってきません。

さらに、会社で10年20年とキャリアを積むと、役職がついたり大きな仕事を任せてもらえたりして楽しくなってきます。結婚して子どもができれば、学校のこともあって簡単には引っ越しできません。それを親も分かっているから「会社を継ぎに戻ってこい」とは無理強いできないのです。

3つめの理由としては、情報が少ないことがあります。承継先を探すにしても都会では母数が大きいのでヒットしやすいですが、地方ではそもそも承継したい人が集まるプラットフォームがないので苦労します。

言わなくても分かるだろうは失敗の第一歩

たくさんの社長と話をしていると、後継者候補との対話が少ないことが気にかかります。先日もある会社の社長と話をする機会がありました。

私　：「事業承継はもう考えておられますか？」
社長：「うちは後継者がおる」
私　：「では、社内で正式に後継者を発表されましたか？」
社長：「みんな言わんでも分かっとる」（私の心の声：「ホントに？」）

私　:「ということは、後継者の方にも君が後継者だと言ってあるのですね」
社長:「いや、言ってはないが本人も分かっとる」
私が後継者のところに行って、「社長があなたが後継者だと仰っていますが、ご承知ですか?」
後継者候補:「いいえ、そんなこと聞いてません。そもそも僕は別の会社に転職しようと思っているので……」

これでは事業承継できません。あてにしていた後継者候補が本人の希望通り転職してしまったら、この会社は後継者不在となります。

この社長もNさんもそうですが、頭の中では自社は「後継者あり」の会社なのですが、現実は「後継者不在」の会社であるということがままあります。

「わざわざ言わなくても分かっているだろう」という思い込みは、事業承継で失敗するパターンの最たるものです。

廃業はデメリットだらけ

後継者が見つからない場合、必然的に「廃業」が選択肢に入って来ますが、この選択が良いのかどうか、様々な側面から考えてみたいと思います。

廃業することには「後継者問題から解放される」ことや「従業員の雇用や会社を守らねばならないというプレッシャーがなくなる」といったメリットがあります。しかしデメリットも多くあります。

・廃業するための手間や費用がかかる
・従業員が失職する
・取引先が連鎖倒産する恐れがある
・地域社会で自社が果たしてきた役割が失われる
・顧客が代替の商品・サービスを探さなくてはならない
・廃業が近づくにつれ、経営者や従業員の士気が低下し、業績悪化したり関係各所に迷惑がかかったりしがちである廃業することのメリットとデメリットをよく比較検討して、後悔のないほうを選びたいものです。

廃業費用が1000万円超のケースも

会社を作ることは資本金の用意と登記くらいで簡単ですが、会社を廃業するのは非常に煩雑な手続きのうえに、費用も多くかかってきます。

●登記などの届出関係

会社を閉鎖・廃業するためには「解散登記・清算人選任登記」と「清算結了登記」という2段階の手続きが必要です。

株主が社長一人なら自分だけの意志で解散を決められますが、他にも株主がいる場合は株主総会を開いて2／3以上の同意を得なくてはなりません。

また、会社を清算するにあたっては清算人を選出したうえで、会社が所有する財産をすべて調べます。会社の債権は回収して、債務の弁済や余剰財産の株主への分配を行います。細かいことですが、電気・ガス・水道・インターネット・警備・清掃などの契約停止もしなくてはなりません。

従業員を雇用していて雇用保険や健康保険など社会保険の適用を受けている場合は、その手続きも必要です。

登記費用そのものは数万円ですが、これらの手続きを自分で行うことはハードルが高く、専門家（税理士、行政書士、司法書士、社労士など）にお願いするのが一般的です。その報酬も必要になってきます。

●工場機械など産業廃棄物の処分

使用していた機材や工場の機械などは売却できればいいですが、買い手がつかない場合は処分することになります。産業廃棄物の処分は専門業者でないとできないので、その費用がかかります。リース代が残っている場合は、その清算も必要です。

●建物の取り壊しや原状回復

店舗や工場を借りている場合、貸主に返却するのに元の状態に戻す必要があります。化学薬品工場やガソリンスタンドのように地質に影響を与える事業を行っていた場合は、土の入れ替えをして回復することになります。その費用は1立方メートルで4～5万円ほどです。仮に汚染の面積が100平方メートルで汚染深度が1メートルだった場合、土壌回復だけで400～500万円もかかってしまいます。

●従業員への退職金支払い

従業員は解雇することになるので、退職金を支払います。勤続年数が長いほど退職金は高くなります。

●借入金の完済

会社に借入金が残っている場合は、廃業までに完済しておく必要があります。

完済できない場合、事業の借金は会社の借金なので、法人破産を選択すれば会社の借金は消滅させられます。しかし、中小企業では融資を受ける際に社長が連帯保証人になっているケースが多いはずです。その場合、社長個人の借金として返済義務が残ってしまいます。

実際、廃業していく会社がどれくらいの費用を負担しているかというと、2019年版の中小企業白書に「廃業の費用総額」を調べた項目があります。

100万円未満が全体の60％を占めますが、100万円〜500万円かかったケースも20％余りと決して少なくありません。500万円〜1000万円かかった割合は7％、1000万円以上かかったケースも7・6％存在します。

業種による差はなく、事業規模の大きい会社ほど廃業にかかるお金も多くなる傾向です。

廃業は社長だけの問題ではない

廃業することで生じる損失はお金だけではありません。従業員や取引先にも失業や連鎖倒産などのリスクを負わせてしまいます。

歴史のある会社では30年40年と長く働いてくれた従業員もいるはずです。ある程度の年齢以上になると、再雇用先を探すのも容易ではありません。取引先や地域のことも考える必要があります。

例えば新型コロナウイルス感染症の流行で飲食店や観光業を中心に倒産や廃業が増えていますが、飲食店が1つなくなるだけで、食材・飲料・酒類・おしぼり・食器などの納入業者や、店の修繕や建設を請け負う事業者などが連鎖的に影響を受けます。

また、県を跨いでの外出自粛で車のガソリンの売上も落ちており、ガソリンスタンドの廃業も起きています。新型コロナの影響を差し引いてもガソリンを貯蔵しておく地下タンクの耐用年数が30年で、経営者が高齢になってくると新たに約1000万円を投資してタンクを入れ替えるより、廃業を選んでしまうことが多いのです。

集落に1つしかなかったガソリンスタンドがなくなると、車のガソリンはもちろん冬場に暖をとるための灯油も遠方のガソリンスタンドまで買いに行かなくてはなりません。また、ガソリンスタンドは犯罪から子どもや女性、高齢者などを守るための「かけこみ110番」としての役割も担っています。

地域住民にとっての重要なインフラとなっているため、廃業により困る人がたくさんいるのです。

どんなに小さな会社でも、「なくなっても誰も困らない」ということは絶対にありません。社会のサプライチェーンの中にあったものが1つ消えるということは、そのサプライチェーンが断絶されるということです。

身近な例でいうと、私はいつも自宅や会社の神棚に榊をお供えするのですが、最近その榊がなかなか手に入らないのです。「どうして榊がないのですか」と花屋さんに聞いたところ、「榊を作っていた農家が高齢化で辞めてしまい、仕入れができない」と言うのです。

たかが榊農家と思うかもしれませんが、これは神道という日本古来の文化の存続危機に直結する由々しき事態です。

そのように考えていくとなくなって良い会社など1つとしてありません。高齢化に直面している経営者も事業承継を諦めないで、できるかぎり会社を存続させていく道を選んでほしいと思います。

廃業したオーナーの3割は「誰にも相談していない」

廃業していくオーナーたちの多くは「会社を残したい」という思いと「でも、やっぱり無理だ」という思いの狭間で揺らぎながら、悩んで廃業を決めています。その揺らぎの段階で、会社を残すための知恵やアドバイスを借りられると良いのですが、実際には適切なサポートや情報提供にたどりつけないオーナーが多くいます。

中小企業白書（2014年）の「廃業支援の在り方」の項目を見ると、廃業に際して「誰にも相談しなかった」というオーナーは約3割となっています。誰かに相談したという人も、相談相手は「家族・親族」が全体の約5割を占めています。士業に相談した人はわずか6・8％です。

相談しなかった理由としては「相談しても解決できるとは思わなかった」や「相談しなくても何とかできると思った」「会社のことは誰にも相談しないと決めていた」で約7割を超えています。オーナーの思い込みや楽観視もあるにせよ、根底には中小企業支援者への信頼が薄い現状があり、孤独に廃業を選択していくオーナーが多いということです。

廃業するためには取引先との関係の清算や事業資産の処分、従業員の雇用先の確保、事業終了までの資金繰りなど、専門家の支援やサポートが必要な場面が多くありますが、実際には満足なサポートや情報提供を受けることができていません。

廃業の可能性を感じても何の対策も取らなかった人が4割いるのも、その結果でしょう。廃業について専門家に相談することができていたら、生き残れた会社も多かったに違いありません。

廃業の説明は神経を消耗する

私の知り合いには、事業承継デザイナーで廃業支援のコンサルタントでもある奥村聡さんがいます。NHKスペシャルで「会社のおくりびと」として取り上げられたこともあるので、知っている読者もいるかもしれません。

彼が主催する「着地戦略会」という定期的に開かれる会合で、廃業のリアルを勉強のために聞かせてもらいます。聞けば聞くほど「思っている以上に廃業って大変なんだな」と思わされます。

彼によれば、廃業を決めた場合それを従業員に伝えるタイミングや伝え方が最も難しいそうです。

長年働いてきた従業員は、たとえ債務諸表が読めなくても会社の業績が右肩下がりであることは肌感覚で分かっています。それでも希望を捨てずに、会社のため家族のために頑張ってくれています。そういう状態で「実は廃業します」と伝えなくてはならないわけです。

あまりドライに伝えると「自分たちのことを大切に思ってくれていない」「家族同然と思ってきたのに、社長は自分都合で切り捨てるのか」と反感を買いますし、ウェットに伝えすぎても悲しみが大きくなって、廃業後の転職活動に気持ちを切り替えることができなくなります。

廃業するまでに時間が残っていたとしても伝え方を間違えると社員たちの気持ちがバラバラになっていき、職場の空気が荒んでギスギスしていきます。「消化試合」をこなす感覚で取引先や顧客に不誠実な対応をする者が出てきたり、ひどい場合は「退職金代わりに」と会社のお金や備品を持ち逃げするなどの犯罪行為に及ぶこともあると言います。そうなると、今までの良い思い出も全部壊れてしまいます。

また、取引先の銀行にも伝えなくてはなりませんが、下手をすると当座預金の手形がいきなり止められてしまい、不渡りを出して資金繰りに窮することもあります。すると、ソフトランディングでゆっくりと廃業するつもりがドンと落下してしまい、望みもしない倒産に追いやられることになっていきます。

従業員に給与や退職金が払えず、取引先にも買掛金を払えずに廃業してしまった例では、オーナー家族が地元に住めなくなり、夜逃げに近い形で出て行ったということもあったようです。

廃業というのは簡単なように見えて、結構、悲惨な結末になりやすいのだと知りました。奥村さんも円満な廃業は至難の業で、多方面に気を使わなくてはならないため、神経がすり減ってボロボロになるオーナーが多いと言っていました。私自身も話を聞いてゾッとし、「絶対に廃業は避けなくてはいかん」と思いました。もし、廃業の道しか残っていないのであれば奥村さんのような専門家に相談し、その後の人生まで含めたアドバイスを受けるほうが賢明です。

企業の平均寿命は約23年

ここで、企業の寿命について考えてみたいと思います。

色々な中小企業のオーナーと話していると「もうこの会社も40年になる。そろそろ寿命だ」と仰る方が時々います。寿命だから廃業やむなしと考えるべきではありません。

今回本書を書くにあたって、私も企業の寿命について調べてみました。

「企業寿命30年説」というのが言われてきましたが、その端緒となったのは1983年に『日経ビジネス』が掲載した記事だったとか。企業には創業期、成長期、成熟期、衰退期があり、1サイクルが大体30年とする説です。

ソースが確認できるものとしては、『中小企業白書2011年』に帝国データバンクの資料をもとに作成された「企業の生存率」があります。これを見ると、10年後の生存率は70%、20年後は52%、28年後は45%となっています。

事業承継の仕事をしている私の実感としても、30年後に0・021%より45%のほうが

図表1　社長年齢別　業績状況

業績	30代以下	40代	50代	60代	70代以上
増収	54.23%	49.40%	45.37%	43.16%	39.22%
減収	38.57%	43.88%	47.00%	48.87%	48.17%
売上横ばい	7.20%	6.73%	7.63%	7.96%	12.61%
増益	46.53%	45.79%	44.72%	43.89%	40.59%
減益	45.30%	46.71%	46.63%	47.07%	44.84%
利益横ばい	8.17%	7.50%	8.65%	9.04%	14.57%
黒字	78.22%	79.67%	78.80%	77.95%	76.11%
赤字	20.85%	19.61%	20.29%	21.03%	22.30%
前期黒字	80.97%	82.01%	81.24%	80.37%	78.56%
前期赤字	18.23%	17.36%	17.95%	18.70%	19.99%
連続黒字	67.83%	69.52%	68.92%	68.21%	66.63%
連続赤字	7.92%	7.29%	8.13%	9.04%	10.58%

出典:東京商工リサーチ

正しいように思います。帝国データバンクの統計に含まれない企業も含めると、本当の生存率はもう少し下がるかもしれません。

いずれにしても30年もたない会社が過半数で、業歴30年以上は「老舗」の扱いになります。つまり30年以上続いてきた会社はそれだけで希少価値があり、潰してしまうのは惜しいのです。

そもそもこれだけ人々の価値観やニーズの移り代わりの激しい時代に、30年40年と事業を続けて来られたということは、そのビジネスモデル自体に力があることの証明です。

事業承継は蘇りのチャンス

企業の寿命に関しては「社長の年齢が高くなると企業の業績が下がる」という相関関係を裏付ける東京商工リサーチの2020年のデータがあります。

社長の年齢別に直近の企業業績を見ると「増収」は若い世代ほど割合が高く、年齢が上がるほど低くなっています。70代以上で増収の企業は4割もありません。また「赤字」や「連続赤字」は70代以上の割合が最も高くなっています。

このことから社長の高齢化と業績不振には関連性があると言えます。年齢を重ねると新しいチャレンジをすることが減り金融機関も融資をしてくれなくなるため、どうしても事業が縮小傾向になってしまうと予想されます。

逆に言えば社長が高齢化して業績低下している会社は、若い後継者にバトンタッチすることで蘇る可能性が高いのです。

企業の一生を創業期、成長期、成熟期、衰退期とするなら、衰退期から逆戻りして2回目の成長期や成熟期を経験するイメージです。あるいは、衰退期に入る前にバトンタッチができれば、業績低下を経験することなく好調が続く可能性もあります。

私自身も今の会社を継いだ理由の一つが、70年という長い歴史を持つ会社であったことでした。70年前の創業者たちが目指したロマンを受け継ぎ、100年企業にしたいと思いました。

人間にも寿命があるように、会社にも寿命があると考えるのは自然な発想ですが、人間は医学や科学の進歩によって延命を可能にしてきました。江戸時代の平均寿命は30歳だったものが、今は80歳を超えています。100歳超えのご長寿も8万6510人となりました（2021年9月1日時点）。

企業の寿命も同じく、事業承継によって延命することは可能です。「寿命だから」を言い訳にして廃業してしまってもいいものでしょうか？

資産超過で廃業しても手元に残るお金は有限

廃業をできるだけ回避したほうが良いと考える理由として、引退後の資金の問題があります。

会社がなくなるということは、それ以降、利益を生み出す仕組みがなくなってしまいます。資産超過での廃業であれば会社を清算した後にいくらかの資産は残りますが、それも有限です。

今は人生100年時代で、70歳で引退してもセカンドライフがまだ30年あります。その期間を経済的な不安なく豊かに過ごしていくには、お金を生み出す仕組みが必要です。

不動産や株式などに投資して増やしていく方法もありますが、いずれもハイリスクで、素人が手を出してうまく行く例ばかりではありません。実際の運用を投資信託やサブリースのようにプロに任せると、リスクは低減できる代わりに結構な手数料を引かれ、手元に残るお金は少なくなってしまいます。

その点、会社を存続させて株主でいれば、毎年の配当金が受け取れます。また、所有する株を少しずつ会社に買い取らせて、年金のように受け取ることも可能です。不動産や株への投資に比べてリスクは小さく、確実なリターンが見込めます。

資金確保に加えて、自分が育て上げた会社が更に発展していくのを見守ることができる点もポイントです。会社の歴史ごとなくなってしまう廃業よりも、引退後もその成長を楽しめる事業承継のほうが断然、理想的だと私は思います。

廃業するより承継を！

では、どうすれば後継者のいない会社が廃業を避けて事業承継できるかと考えて、私はLEADERSプロジェクトを作りました。

「自分の会社は売上も大したことがないし、借入もまだ残っているから、事業承継したがる人はいないだろう」「従業員も高齢化しているし、若い人には興味を持ってもらえない」という思い込みは捨てるべきです。

なぜならLEADERSプロジェクトを進めるなかで、色々な後継者候補（リーダーズ）

がいることを実感しているからです。現在進行中の案件のうち2つは赤字の会社です。LEADERS側に「赤字でもいいから、その会社を継ぎたい！」という熱意が強いのです。

1つめの会社は、熊本でちょっと他にないユニークな本を出版している小さな会社です。LEADERSのほうは銀行員なので、その会社の決算書を読んでおり、実際の経営状態が良くないことは重々理解しています。それでも継ぎたい理由は、「小学生の頃からその出版社の本に親しんでいて、自分が経営者になって本作りをしたい」という夢を持っているからです。

もう1つの会社は、社長1人社員1人の零細企業で、顕微鏡などの精密レンズを作っている会社です。LEADERSは望遠鏡で天体観測をするのが好きで、子ども向けの天体教室などを開いています。顕微鏡と望遠鏡は親戚のようなものなので、ぜひとも承継して会社を盛り立てたいと言うのです。

こんなふうに、赤字でも零細でも会社を継ぎたい人というのはいて、出会うことができれば事業承継は可能なのです。

オーナーが考えるより大きい会社の存在意義

企業には3つの益「私益」「共益」「公益」があると言われます。

「私益」とは、経営者自身の利益。

「共益」とは、従業員や取引先など関係者の利益。

「公益」とは、地域や社会全体の利益。

オーナーが私益にしか目が行かなくなると、共益や公益が疎かになり、「この会社くらいなくなってもいいか」となってしまいます。

もちろん「自社に将来性がないからおしまいにする」というオーナーもいますが、それは今の事業やビジネスモデルが時代遅れになってしまったからなのか、オーナーが時代についていけなくなっているのか、どちらなのかを考える必要があります。

例えば、書店は紙の本が売れなくなり、斜陽産業と言われて久しいですが、そんな中でも個性的な品揃えや本との出合いを体験するイベントの開催などを通じて、売上を伸ばしている書店はあります。新しい発想や時代に合わせたビジネスモデルによって、企業力が蘇る可能性は十分に残されているのです。

オーナーが自社に対して思っている評価より、世の中の評価はずっと高い可能性があります。骨董品でも、ある人は古いだけのガラクタだと思っても、見る人が見ればお金を出してでも欲しいことがあるように、会社の「真価」というのはオーナーの感覚だけでは分かりません。

ですから、廃業を実行してしまう前に、自社の真価を理解してくれる人に承継することを検討してほしいのです。

第3章

財産権を手元に残して老後は安泰
経営だけを第三者に承継する
「最強の引退術」

事業承継の主流は親族内承継、社内承継、M&A

まず事業承継には大きく2つの種類があります。

1つは親から子へのように、経営者家族の中から後継者を選ぶ方法です。親族内承継と言います。

もう1つは、親族外に承継する方法で第三者承継と言います。第三者承継には、自社の社員を後継者にする「社内承継」と、外部に会社を売却する「M&A」があります。「第4の事業承継」も第三者承継の1つのパターンです。

●日本では最も多く選択されている「親族内承継」

親族内承継は日本で最も盛んに行われてきた事業承継の方法です。承継先は子が多いですが、配偶者や子の配偶者、兄弟姉妹、孫、その他の親族などに承継しているケースもあります。

世界中に同族経営・家族経営の企業がありますが、日本は特に多く、全企業の約96%が同族会社です（国税庁2019年度会社標本調査結果より）。家長制度が長く続いてきた歴史から、家業を長子に継がせる例が多いためです。

近年では第三者承継が増えてきていますが、それでも中小企業の55・4%は親族内承継によって事業承継をしています（中小企業白書2019年より）。

ちなみに日本ではトヨタ自動車、日本ハム、任天堂、サントリーなどが同族経営で業界トップに成長してきました。海外では、アメリカのウォルマートやフォード、韓国のサムスン、スイスのスイス銀行などが同族経営として知られています。

●親族内承継のメリット

代々同族経営している会社では後継者が幼少の頃から将来、会社を継ぐことを前提とした家庭教育が行われます。後継者自身も小さい頃から「お前は将来、お父さんの跡を継いで社長になるんだよ」などと言われているので、早くから心構えができており、スムーズに承継が進みやすい点がメリットです。

次に、社内外の関係者（従業員や取引先など）から後継者として受け入れられやすい点もメリットです。

将来の事業承継を見越して後継者の子を自社に一般社員として入社させ、事業を勉強させるケースもよくあります。あるいは、広く世間を学ばせるために社外で修行させて、一人前になった頃に自社に取締役で採用し、事業承継の準備に入るケースもあります。

いずれにしても子どもが会社を継ぐことは社内外での了解事項になっているため、異議を唱える関係者は少ないと考えられます。先代が育てた幹部たちが、事業承継後も後継者の子をブレーンとして引き続きバックアップしてくれるような体制づくりもできます。

また子への承継であれば自社の株式を売買ではなく、相続や贈与によって後継者の子に渡せます。

相続や贈与による親族への資産移転については、様々な税制面での特典が設けられているため、売買による移転よりも引き継ぎやすくなっています。

●親族内承継のデメリット

親族内承継のデメリットとしては、家族の中に経営者としての資質や能力を備えた子がいるとは限らない点です。

昔は子どもの数も多かったので誰か一人くらいは後継者になれる子がいたのですが、今は1世帯当たりの子どもの数は1~2人が普通です。少ない候補の中に後継者に相応しい子がいる可能性は高くないと思います。

経営者としての能力に欠ける子を無理に後継者にしても、事業承継後に経営を回していくのに苦労します。従業員や取引先からの信頼も得にくく、従業員が辞めて行ったり取引を終了されたりすれば、銀行融資も受けられなくなってしまいます。

生き方や価値観が多様化している今「長男だから家業を継ぐ」という考え方そのものが時代に合わなくなってきています。経営者としての素質があっても「自分の好きな仕事をしたい」「個人保証などのリスクを負いたくない」などの理由で事業承継を断るケースも少なくありません。

●優秀な社員を後継者にする「社内承継」

社内承継は「家族に後継者となってくれる人材がいない」「経営者としての能力を持つ

後継者候補の子がいない」など、親族内承継ができない場合の次善策として選択されることが多いようです。しかし、最近は同族経営にこだわらず、優秀な社員に経営を継がせたいと考えるオーナーも増えています。

『中小企業白書２０１９年』では「親族以外の役員・従業員」への事業承継は19・１％となっており、親族内承継に次いで高い値です。

●社内承継のメリット

社内承継を行うメリットは社員たちの働きぶりや人柄をよく見たうえで、経営や実務に関する資質や能力を持っている者を後継者として選べる点です。

社内にいる後継者候補は、自社の業務の中身や収益を出す方法をひと通り習得しています。最初から高い能力を持つ後継者を選定している分、承継後の経営についての心配は少なくなります。

また自社の経営方針や風土、事業の方向性などをすでに理解しているため、外部から後継者を呼んできた場合のように、後継者教育をゼロからする必要はありません。

承継前後で方針などが変わる可能性も少ないので、他の従業員からの理解を得やすく、従業員の離職のリスクも減らせます。

ただ、日々の業務はできても会社のトップとして経営するとなると勝手が違います。事業承継はしたもののリーダーシップが発揮できないケースもありますので、選任には注意が必要です。

●社内承継のデメリット

社内承継の最大のデメリットは、株式を引き継ぐための資金力が後継者に求められる点です。

社内承継では有償または無償で自社株を後継者に引き継ぐことになります。有償の場合は買収資金が必要です。無償でもらう場合は贈与にあたるので、贈与税の納税資金を準備しなくてはいけません。

自社株評価が高ければ高いほど、後継者の資金面での負担は大きくなります。たとえ後継者に経営能力があっても、資金力がなければ事業承継することはできなくなってしまいます。

●外部に会社を売却する「M&A」

M&Aは英語のMergers and Acquisitionsの頭文字をとったもので、他の会社や経営者に会社を買い取ってもらう方法です。

M&Aはここ10年あまりで認知度が上がり、事業承継の方法として選ばれることが増えてきました。

国内のM&A件数を調べたデータで確認すると、2010年には約1700件でしたが、2019年には4000件を超えて過去最高を記録しました。2021年はコロナ禍に喘ぐ企業が増えている影響で、2019年を超えるペースで推移しています。

●M&Aのメリット

M&Aのメリットとしては、幅広く外部から承継先を探せる点があります。身内や社内に後継者候補がいなくても、国内外から会社を買いたい人が出てくれば事業承継ができます。

また、高値で会社を買い取ってもらえれば、オーナーがその売却利益を得られます。承継先の会社とのシナジー効果で、事業の将来性が拓ける可能性もあります。

●M&Aのデメリット

デメリットとしては、M&Aの相手（買い手）が見つからない可能性があることです。基本的にM&Aは大手企業を対象にしたものが多く、事業規模の小さい会社はエントリー対象外のことがあります。また事業規模は満たしていても、財務内容が悪いとなかなか買い手は見つかりません。

買い手が見つかってもこちらの希望通りの売却金額で買い取ってもらえない可能性もあります。買い手と売り手で希望が合わないと、売買契約は成立しません。

買い手側も承継後に問題が起こると困るので、会社に瑕疵がないか厳しい眼で審査してきます。例えば、従業員との間で残業代未払いなどのトラブルを抱えていないか、決算書を実際以上に見栄えよくしていないか、財務内容がきれいかなどです。同族会社では会社の資産とオーナー個人の資産がごちゃ混ぜになっているケースがよくありますが、M&Aでは嫌われます。

売買が成立して会社を売却した後に瑕疵が見つかると、損賠賠償請求の裁判を起こされることもあります。

もう1つ、承継後に従業員の雇用や社名、企業文化が引き継がれない可能性もあります。M&A後しばらくは従業員の雇用を続けてくれたとしても、半年後や1年後に一斉解雇されてしまうケースは珍しくありません。社名や企業文化も同様です。

さらにM&Aで契約書を交わしてしまうと「やっぱり売りたくない」「良い後継者が見つかった」というときも後戻りができない点には注意が必要です。最終契約書の解約には賠償金の発生だけでなく、次回以降M&Aしたいと思っても取り合ってくれる仲介業者がいなくなるなどの大きなペナルティがあります。

親族内承継から第三者承継へのシフト

事業承継のトレンドは、親族内承継から第三者承継へとシフトしつつあります。

中小企業庁のデータによると20年以上前には親族内承継が85％を占め、第三者承継はわずか15％でした。

それが近年では親族内承継が35％、第三者承継が65％となっており、両者の割合が逆転しています。特に第三者承継の中でも社外の第三者への承継が増えています。社外の第三者とはほとんどがM＆Aです。

親族内承継や社内承継が減っている背景には、後継者が身近にいないという問題が大きいですが、それ以外にも無理に継がせることで起こる不幸を避ける目的もあると考えられます。

「継がせる不幸」とは、資質や能力がないのに経営の負担を負わせることで後継者本人が苦しみ、従業員や取引先も不幸にさせてしまうことです。そうなれば結局、会社は業績が悪化し、経営を続けていけなくなるリスクが大きくなります。せっかく事業承継しても会社が潰れてしまうのでは、廃業したほうがましだった……ということにもなります。

自社株はオーナーが保有したまま社長の地位を後継者候補の子や番頭格の社員に譲り、経営をさせているケースもありますが、これは中途半端な事業承継と言わざるを得ません。なぜなら単に社長交代しただけで、自社株の売買の問題や個人保証・担保提供の問題は先送りになっているからです。

図表2　経営者の在任期間別の現経営者と先代経営者との関係

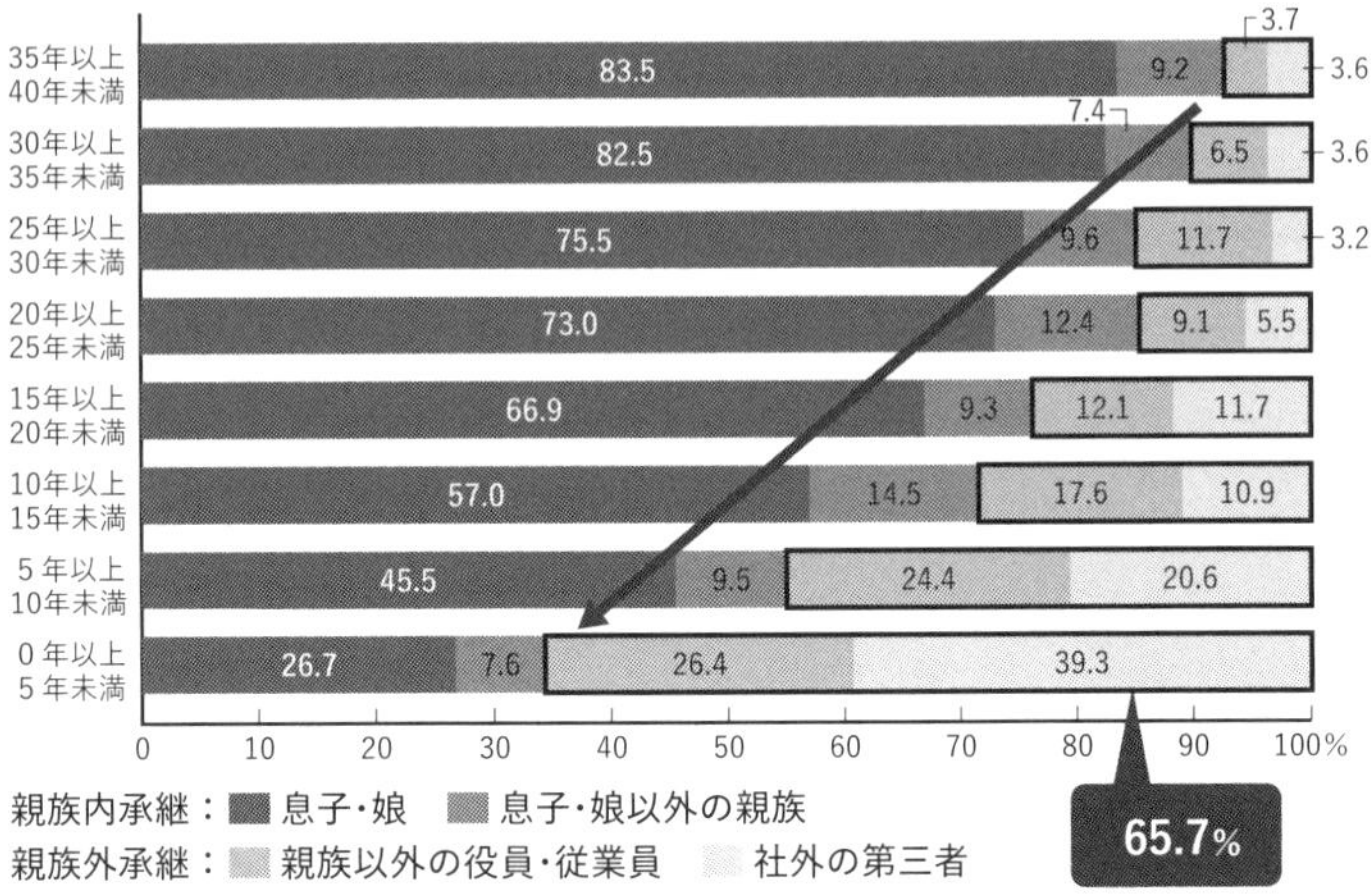

実権がオーナーにあるということは院政と同じです。これでは後継者にも覚悟は生まれません。

そこで、友好的なM＆A先を見つけて事業承継問題を解決しようとする中小企業が増加しているのです。以前は「M＆Aは大企業のもの」「M＆Aしたら会社を乗っ取られる」といったイメージがありましたが、今はかなり払拭されています。

しかし親族内承継も社内承継もM＆Aもできない……という会社も多く存在します。そういう会社はどうしたらいいのか、廃業以外に道はないのか、という場合に検討したいのが「第4の事業承継」です。

図表3　事業承継の比較

承継先	メリット	リスク
①家族・親族	・後継者を早く決定できる ・事業者の意思が反映されやすい ・承継の準備期間が確保しやすい	・事業者の高齢化による承継スピード ・相続人間承継の公平性 ・承継者の教育
②社内従業員	・経営の一体性を維持できる ・会社の機密情報が守られやすい ・社内モチベーションを保てる	・後継者の能力や気質 ・利害関係者の反発 ・承継者の教育
③社外（M&A）	・幅広い範囲から後継者探しができる ・会社売却の利益を獲得できる ・所有と経営の分離がしやすい	・コストと時間が膨大 ・個人債務保証の引き継ぎ ・売却条件面による承継アンマッチ

従来のデメリットを克服する「第4の事業承継」

第4の事業承継は、外部から招聘した第三者に事業を承継する方法です。親族内や社内に後継者がいないという問題を外部から後継者を見つけることで解決します。

また株式の引き継ぎ方を工夫することで、株の買い取り資金の問題を解決します。それ以外にも様々なメリットがあります。

①社外から幅広く人材を探し、経営者としての資質や能力を持つ人材を選ぶことができる

②株式の買い取り方法を工夫することで、後

継者の資金負担を減らすことができる
③株式の大半をオーナーが所有することで財産は手元に残し、経営権は後継者に渡すことができる
④会社の融資に関するオーナーの個人保証を後継者に移転することができる
⑤株式を少しずつ会社に買い取ってもらうことで、年金のようにコンスタントに現金収入が入ってくる
といったものです。

社外から優秀な後継者を招き入れる

メリットの1つめは、社外から適性のある人材を招き入れ、会社を強化できることです。親族内承継や社内承継では限られた選択肢の中から後継者を選ぶことになりますが、社外承継の場合は、理屈上は世界中から人材を選ぶことができます。

●会社のDNAを引き継げる

自社では経営教育ができなかった場合でもすでに経営教育を受けてきた人や経営経験を持つ人を後継者にすれば、一から育成する期間が省けます。その分、会社のバックボーンを引き継ぐことに時間をかけられます。

オーナーの考え方、人脈、従業員との関係など「会社のDNA」を引き継ぐことができるので、手堅い事業承継が実現できます。

中小企業ではオーナーの人柄や信頼で取引先と繋がっているケースが多く、「会社のDNA」を後継者に引き継ぐことは、事業の継続性のうえで重要です。

●外部因子を入れることで化学反応が起きる

優秀な人材に経営を引き継ぐことができれば社内で化学反応が起き、会社が更に発展していくことも可能です。

日本は島国という特性から独自の文化を成熟させ平和を築き上げてきましたが、鎖国時代には「井の中の蛙大海を知らず」で海外に大きく後れをとってしまいました。産業革命という世界の大きな波に乗り遅れ、諸外国と対等に付き合うことができなくなりました。

しかし明治に開国して以来、外国の文化や価値観、物が入ってきたことで国内のそれと化学反応を起こし、一気に花開きました。

それと同じことが社外承継でも起こり得ます。

社外の人材を入れることで、自社にはなかった新しい考え方やビジネス戦略、人脈などが入って来ます。社内で熟成してきた技術やノウハウや企業文化と新しいものが出合ったとき、どんな化学反応が起こるかにも期待できます。

お互いの良いところを吸収し合って相乗効果で伸びていける可能性を秘めているのが、社外承継の面白いところです。

後継者側にもメリットがある

後継者が既存の会社を継ぐことには、自分で起業することにはないメリットがあります。オーナー側だけがメリットがあるのではなく、後継者の側にもちゃんと恩恵があるので、win-win の関係です。

●ビジネスモデルをゼロから作る必要がない

自分で創業する場合ビジネスモデルをゼロから構築しなければなりませんが、事業承継の場合は既存のビジネスモデルをそのまま引き継ぐことができるので、失敗のリスクが減らせます。

●会社の資金や従業員の雇用を引き継げる

起業する場合は自分で資本金を調達して、従業員の採用をしたり仕事を教えたりしなくてはなりません。事業承継では会社のカネ・ヒト・モノの資産を一式引き継げるので、自分で揃える手間が要りません。特許やノウハウなど技術力の源泉も引き継げます。

●後継者不在の会社を救える

後継者がいない会社の廃業を回避し、存続させられます。それにより「共益（従業員の雇用など）」「公益（地域のサプライチェーンなど）」が守られます。

●オーナーを後継者不在の問題から解放できる

自分が後継者になることで、オーナーの「後継者がいない」「廃業するしかない」という悩みから解放することができます。

種類株を用いた第4の事業承継のスキーム

第4の事業承継では一般的な事業承継とは株の移転の方法が異なります。

発行済み株式が100株あったとします。通常の事業承継では100株すべてを後継者に相続、贈与、売却などの方法で移転します。

仮に1株当たり100万円とすると、100株買い取るのに1億円が必要になります。親族内承継では株価を圧縮してから相続・贈与しますが、1億円に対する相続税・贈与税となるとそれなりに高額です。納税猶予制度を活用する場合も一定の要件があります。

第三者承継の場合は、後継者に高く買い取ってもらったほうがオーナーは嬉しいので、普通は株価の圧縮はしません。1億円を出せる後継者は多くないでしょう。

後継者が30株だけ買い取って、残りの70株を経営者が持っておく方法もありますが、そうすると多数決の原理で、経営者に同意を得ないと後継者は何も決められなくなってしまいます。

資金力のない後継者でも実権が持てる方法があれば理想です。第4の事業承継では種類株を用いることで、これを可能にします。

種類株式とは、株主の権利内容について会社の定款で特別な条件をつけた株式のことです。例えば、普通株式より配当の高い株式（配当優先株式）を作ったり、株式の一部に譲渡の制限をつけたり（譲渡制限株式）などができます。第4の事業承継では「議決権制限」の種類株式を使います。

100株のうち1株を「議決権あり」とし、99株は「議決権なし」とします。そうしたうえで、後継者に議決権ありの1株を買い取らせるのです。残りの99株はオーナーが持っておきます。

普通株を種類株に変更するには、株主総会を開いて承認を得たうえで、登記をすれば

ＯＫです。株主が社長一人なら総会は必要ありません。

こうすると、後継者は１００万円の資金さえあれば株を取得できます。そして、議決権を持つ人は後継者しかいないので、自分で物事を決めて経営をしていけます。

一方、オーナーは99株＝総額９９００万円の資産を手放すことなく持ち続けることができます。

株式の比率はアレンジ可能

何株を後継者に買い取らせるかは、各々の都合で変えて構いません。

私が今の会社を承継したとき、発行済み株式が４０００株あり、総額で何億円にもなりました。とても私の資金力では買い取れなかったので、20株だけ買い取りました。残りの株は先代の娘さんとその親族が保有しています。

たった20株でも１４００万円になったため資金は会社から借りました。今も少しずつ給料から返済しています。

オーナーが保有する議決権なしの株式を、さらに配当優先株式にするというアレンジもできます。議決権を行使できない代わりに高い配当を受け取れる仕組みにできるのです。無議決権株式の比率や他の種類株式との組み合わせについては、会社ごとの事情を考慮する必要があるため、専門家に相談してベストな割合の組み合わせを考えてもらうのが良いと思います。

連帯保証は議決権とセット

会社融資の連帯保証については議決権とセットと考えます。後継者が経営権を引き継ぐということは、会社の歴史も引き継ぐことだからです。

議決権と同時に連帯保証も付いてくる点に関しては、後継者側はそういうものだと捉えているので特に拒否されることはないと思います。

引退と同時に連帯保証も外れてオーナーとしては身軽になります。あとは株の配当や売却金を受け取って、悠々自適のセカンドライフが待っています。

赤字会社の承継は会社分割

赤字経営が続いている会社では借入金が多くあったり、買掛金の未払いやリース代の残りがあったりなど「負の資産」が大きくなりがちです。オーナーの連帯保証は議決権株式と共に後継者に引き継ぐのが一般的ですが、あまりに負債額が大きい場合、全部を後継者に負わせるのは酷だという考え方もあります。

負債まみれでは事業の立て直しも新しいチャレンジも難しくなります。会社に魅力を感じて、赤字でも継ぎたいと申し出てくれているなら、後継者に少しでも負担の少ない状態で渡してあげたいものです。

そういう場合、会社分割をして事業だけ後継者に渡すという方法もあります。

会社分割とは企業組織再編の手法の一つで、既存の会社（分割会社）を他の既存の会社（承継会社）または新設する会社（設立会社）に分割するものです。

事業だけを切り離して新会社として後継者に渡し、元の会社に残った負債はオーナーが引き受けるという形をとることで後継者は事業を行いやすくなります。

「廃業してもどうせ負債は残る。それなら事業だけでも生き残らせたい」と言って、会社分割を活用した事業承継を選択するオーナーもいます。

オーナー社長だけが受け取れる「自分年金」

オーナーは「自分で自分の年金を生み出す仕組み」を作れます。私はこれを「自分年金」と呼んでいます。自分年金は頑張って会社を続けてきたオーナーだけに許された特権です。

●毎年の配当金が受け取れる

株はそのまま持ち続けることで配当を受け取ることができます。

配当金額がいくらになるかは会社ごとに違いますが、目安として「配当性向」があります。

配当性向（％）とは、税引後の利益に対して何％配当しているかを見るもので、「配当金支払総額÷当期純利益×１００」で計算します。この値が20～30％くらいが一般的と言われています。

●少しずつ会社に買い取らせて現金化

少しずつ会社に買い取らせる方法もあります。毎年9株ずつ買い取ってもらえば11年に渡って900万円ずつ手元に入って来ます。これで引退後の資金が確保できます。

自社株が手元にあるかぎり自分年金をもらい続けられる「打ち出の小槌」といえます。

ちなみに親族内承継でもこの手法を活用できます。

後継者の子に議決権ありの1株だけを贈与して、残りの議決権なしの99株を現オーナーである親が持っておきます。そうしたうえで後継者に経営をさせてみるのです。

経営者としての子の成長に合わせて少しずつ株を贈与していくと、子に自覚と責任を促せます。

後継者が頑張って経営を盛り立ててくれれば先代は配当がもらえますから、後継者のバックアップにも気合が入ります。引退しても会社との関係がゼロになることなく、応援していけるので寂しくありません。

万一、この子には経営を任せられないと判断した場合もこの方法なら新しい後継者への株の譲渡もしやすくなります。

子や孫を株主にすれば相続対策も可能

自社株を多く持ったままでいると、自分に相続が起きたときに相続税が心配だというオーナーもいるかと思います。そういう場合は、自社株を子や孫に生前贈与するという手があります。

暦年贈与は毎年110万円まで非課税で、110万円を超えた部分に20%の課税です。毎年2株ずつ子と2人の孫に贈与したとすると1年で6株ずつ減らすことができ、1人あたりが負担する贈与税は18万円になります。※(200万円－110万円)×20%

贈与された株式を持っていれば配当が受け取れるので、現金で200万円もらうよりもお得です。

また、2500万円まで非課税になる相続時精算課税制度もあります。相続時精算課税制度は使い方に注意が必要ですが、上手に使えば相続税の節税になります。

ただし自社株の相続・贈与を受けた場合に活用できる納税猶予は、この場合は使えません。自社株納税猶予制度は後継者のための制度なので、議決権ありの株式を相続・贈与したときにしか適用できないことになっています。

難しくない第4の事業承継の手続き

第4の事業承継は、このように従来の事業承継のデメリットを一掃する理想的な承継方法です。株式の一部を種類株に変更するだけなので手続き的にも簡単で、司法書士なら難なくできます。

しかしながら一般の認知度は低く、この本で初めて知ったという読者も多いはずです。

私も自分が承継するまで、こんな承継方法があることを知りませんでした。

税理士にとっては特別な手法ではないのだと思います。ただ、日本では社外への承継というとM&Aになってしまうため、全株式を譲渡するのが前提で、この方法の出番が少ないようです。

また、第4の承継方法を専門にして積極的に勧めてくれる税理士もほとんどいません。この方法を進めても税理士が受け取れる報酬が少なく、採算が合わないからです。

M&Aのように一度に株を売ってしまう場合、その売買は億単位や何十億になることも珍しくありません。仲介したM&Aが成功すれば、業者は取引金額に応じた仲介手数料が受け取れます。

私もM&Aの紹介を受けて知ったのですがかなり高額です。M&A先として紹介してもらった会社は売値が4000万円でちょっと興味を引かれたのですが、よく聞くと手数料が2000万円と言われとても手が出ませんでした。

小規模のM&Aでは手数料が少額になるため、最低報酬額を設けているところもあります。

これに対して第4の事業承継はごく少数の株のやりとりなので、業者がもらえるキャッシュポイントがほとんどありません。ですから積極的にはやりたがらないという事情もありそうです。

顧問税理士が提案してくれるのを待つのではなく、オーナー自らが働きかけて手続きをするのがいいのです。「少数の普通株を後継者に譲渡して、残りは無議決権株式として自分が保有する形で事業承継したい」と言えば、話が通じるはずです。

承継は「人（経営）」「資産」「知的資産」

さて事業承継というと「社長交代」と「株式移転」がまず想起されると思います。事業承継の本などを見ても、株式譲渡が最重要課題のように解説されていて、まるで株を渡せばそれで事業承継が済んだように錯覚されてしまいそうで違和感を覚えます。

事業承継で最も大事なのは「人」の引き継ぎです。株式は後からでも移動できますが、従業員やそれに付随する技術・ノウハウ・人脈などを引き継がないと事業は行えません。ですから、まずは「人」、それから「株式」というのが、本来の事業承継の考え方です。

中小企業庁の「事業承継マニュアル」にも事業承継では後継者に引き継ぐものとして「人（経営）」「資産」「知的資産」の3つが挙げられています。

図表4　事業承継の構成要素

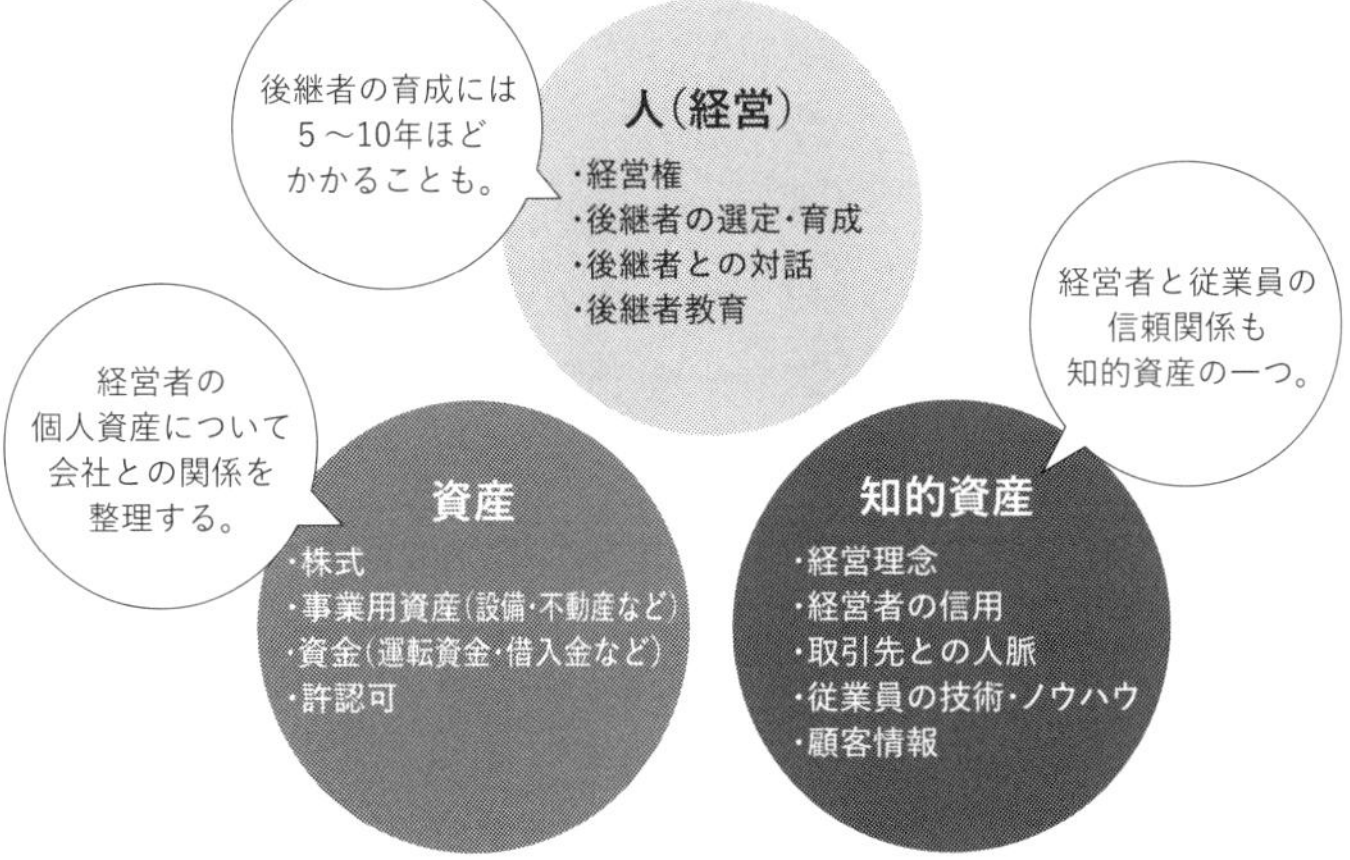

●人(経営)

株式会社では議決権のある株式の保有率＝経営権を意味します。第4の事業承継では議決権ありの株主は後継者だけなので、この点は問題がありません。

ただし、株式を引き継いだだけでは従業員や取引先などから経営者として認めてもらえない可能性が高いでしょう。経営者として相応しい人格・能力を持つ人材を選ぶことや、後継者教育によって経営者としてのリーダーシップを高めることが求められます。

●資産

ここでいう資産とは事業を行うための資

産一式のことです。事業用の不動産や機械などはもちろん運転資金や許認可、株式なども引き継がなくてはなりません。

●知的資産

会社内には経営理念やノウハウ、技術、取引先との人脈、ブランド、組織力など、目には見えない資産が色々あります。事業承継にあたっては、会社の競争力の源泉となる「知的資産」を確実に引き継ぐことが求められます。

従業員との関係はスキームだけでは不可能

事業承継では株式や事業用資産の譲渡も大事ですが、特に大事なのは従業員との関係作りだと私は考えています。会社は人が作るものだからです。もし従業員が全員辞めてしまったら、会社の知的資産は失われてしまいます。

第4の事業承継では、社外から後継者を見つけて来ることになるので、承継後も経営理念や企業文化への理解が浅かったり、従業員との関係ができておらずリーダーシップが発揮できなかったりで苦労しがちです。

例えば、何十年も働いてきたベテラン社員は一緒に長くやってきたオーナーへの信頼や忠誠心が強いがゆえに、自分より若い後継者（しかも赤の他人）の下で働くことを快く思わないことがあります。後継者が別のやり方をしたいと思って指示しても、「今までこのやり方でやってきた」と言うことを聞いてくれなかったり、「後継者には付いていけない」と言ってライバル社に転職してしまったりという話もよく聞きます。

親族内承継や社内承継でも従業員との問題は起きますが、まったくの社外から来た後継者では問題が頻発するので対策が必要です。

対策をするには、オーナーと後継者が心を1つにして取り組んでいくことが大切です。

第4章

マッチングから経営の引き継ぎまで　引退に向けて経営者がすべき25のこと

第4の事業承継の3つのハードル

第4の事業承継には後継者への株式の譲渡がしやすい・自分年金が作れる・社外から優秀な人材を引っ張って来られるなどのメリットがありますが、これで事業承継の問題がすべて解決するわけではありません。

例えば、社会から優秀な人材に後継者になってもらえれば社内に新しい風が吹き、新陳代謝が進んで会社として強くなっていけます。しかし、社外から後継者候補を見つけてくることそのものが高いハードルとなりがちです。オーナーは日々の業務で忙しく、なかなか後継者探しに出掛けて行くこともできません。

この問題が解決されない限り後継者不在は解消されず、事業承継は先に進んでいかないのです。

そこで、第4の事業承継におけるハードルをどうしたらクリアできるかをテーマに、具体的な方法やヒントを提示していきます。

第4の事業承継におけるハードルには、主に次の3つがあります。

・後継者を社外で見つけて来なくてはならない
・後継者とオーナーが心を合わせて一緒に事業承継に取り組まなくてはならない
・後継者と従業員との関係作りをゼロからしなくてはならない

オーナーと後継者の間にはとかく溝が生まれやすくなっています。事業承継の期間は新旧2人のトップが社内にいることになりますが、経営に対する考え方や事業のビジョン、会社に対する思い入れなどの面ですれ違いが起きがちです。また、従業員との関係も事業承継をきっかけに壊れやすくなっています。後継者の人柄や考え方、経営能力などへの不安があるためです。

マニュアルやスキームだけでは越えることのできないこの3つのハードルについて1つずつ順番に解決策を探っていくことにします。

①社外で後継者を探す

中小企業オーナーにとって後継者探しは頭の痛い問題です。日本では昔から親族内承継が当たり前で、それができなくても社内承継で何とか事業を続けて来られました。そのため社外に承継するという考え方そのものが日本では馴染みが薄く、オーナーと社外の後継者候補を結びつけるサービスがまだ十分には整備されていません。

とはいえ行政も事業承継に力を入れており、20年前よりも相談先は増えてきています。また、民間のサービスも少しずつできてきました。

コロナ禍をきっかけに優秀な人材が地方にUターンで戻ってくる事例も増えており、後継者のいない中小企業が外部招聘で事業承継をするのに有利な潮流が来ています。

後継者探しの相談先や出会いの場には、さまざまなものがあります。

・各都道府県・各地区の商工会議所

中小企業のオーナーにとって最も身近な相談先の一つです。事業承継のセミナーや診断を行って、必要な専門家を紹介・斡旋してくれます。後継者探しの相談にも乗ってくれます。

・各都道府県の事業引継ぎセンター

センター内にある後継者人材バンクに登録することで、後継者を探している企業と後継者候補とのマッチングをサポートしています。

・金融機関

メガバンクや都市銀行は大手企業に対応していることが多いですが、地方銀行は中小企業の相談にも対応しています。

・弁護士、税理士、公認会計士など

事業承継を専門にしている士業は、他の士業とのネットワークを使って後継者探しをサポートしてくれます。

・後継者の人材紹介サービス

経営経験のある人材や経営者教育を受けた人材を、中小企業の後継者として紹介する人材紹介サービスがあります。

・後継者の募集サイト

経営者になりたい人たちが利用する転職サイトがあります。大手ではリクルートやリクナビなどが提供しています。それ以外の転職サイトでも募集条件を後継者向けにすることで、後継者の募集ができます。

・後継者を育てるスクールなど

後継者候補が多く集まるプラットフォームとして、起業したい人を対象とした経営塾や後継者育成用のスクールなど民間の団体がいくつかあります。

・異業種交流会

経営者、起業を目指す人、ビジネスチャンスを広げたい人、大学生など様々な人が集まる異業種交流会が盛んに行われています。若手経営者や後継者候補が集まる交流会や就農したい若者が集う交流会などもあります。

・SNSでの情報発信

インターネットやスマートフォンが普及する前は、社外で後継者探しをしようと思うと、人材紹介サービスや身近な人の紹介くらいしか方法がありませんでしたが、今はインターネットが普及したことで出会いのチャンスが増えています。

ＳＮＳを活用して自社の情報や「こんな後継者に来てほしい」などのメッセージを発信するのも出会いのチャンスを広げるのに役立ちます。

②オーナーは理念や熱意をどんどん語る

事業承継をする前に、会社の業績を少しでも良くしてから後継者に渡したいと仰る社長がいますが、実際のところ難しいと思います。これまで十分に頑張ってきた結果が今なので、気力体力も落ちて来る中で業績を改善するというのは現実的でありません。

それよりも「今のままでも継ぎたい」と言ってくれる相手を探すほうが話が早いです。赤字でもいいと言ってもらうためには、オーナーがしっかり自社の魅力を発信することが大切です。

ＳＮＳや交流会など後継者探しの場に出ていき、事業に対する熱い想いを語ると効果的です。

今の会社をなぜ興したのか、どんな思いで事業を行ってきたのか、これから会社がどうなってほしいのかなどを語ることで「この会社、素敵だな」「この社長、いいな」と思ってもらえます。

交流会やSNSで知り合った人が後継者候補を紹介してくれることもあるかもしれません。特にSNSがもつ情報発信力は絶大です。世界中に向けて無料で発信でき、人々の目に留まれば、あっという間に拡散していきます。

事業承継の相談先でもアピールすればビジネスライクな相談員でも心が動くはずです。「この会社は他とは違う」「この社長の力になりたい」と思ってもらえれば勝ちです。

「語ることがない」と思うかもしれませんが決してそんなことはありません。

30年40年と続いてきた会社は、オーナーや先代、従業員など様々な人の想いが詰まっています。事業がうまく行かなかったとき、どうやって乗り越えたのかなどのドラマがきっとあるはずです。

そもそもお金儲けのために作った会社は長続きしないものです。歴史のある会社は社会的役割も果たし、多くの人に愛されてきたことは間違いありません。

ＬＥＡＤＥＲＳプロジェクトで事業承継の話が進んでいる熊本の出版社の社長も、とても熱い人です。いつも「地元を盛り上げんといかん。自分たちが本を出すことで熊本の魅力を世界に広めるんだ」と言っています。ＬＥＡＤＥＲＳはその想いに共感し、惚れ込んで事業承継したいと言っています。

こんなふうに熱く思いの丈を語ることで共鳴してくれる人が増えていきます。

③「引き継ぐべきもの」を整理する

後継者を探す際に、会社に借金があることを引け目に感じてしまうことがあると思います。借入金があると後継者になってもらえないのではないか、条件が悪く映ってしまうのではないかという心配はよくわかります。

商工会議所やＭ＆Ａ仲介業者がやっている事業承継相談に行くと、「今の業績では難しいですね」「もう少し借入金を減らさないと相手が嫌がります」というようなアドバイスをされることが多いため、「借入金＝あってはダメなもの」と思ってしまうのですが、それはM&Aをする企業向けのアドバイスです。M&Aでは買い手にとって見栄えのよい会社にする必要があるのでどうしても借入金は少なく、経営は黒字であることを求められてしまいます。

しかし、私が事業としてやっているマッチングでは、これまでオーナーと後継者の縁結びをしてきた経験上、赤字がハンデになった例はありません。LEADERSプロジェクトで育成する後継者候補たちは、業績の良さだけに魅力を感じる人たちではないからです。事業そのものに魅力を感じたら継ぎたいという人たちなので、その会社の「ありのままの姿」を見たいと考えています。

もちろん杜撰な経営をしてきた会社はパートナー企業になってもらえませんが、真面目に事業をやって来た結果、必要があってできてしまった借入金については一切恥じることはありません。どこの会社も借金くらいあります。

オーナーの個人資産と会社の資産が混在しているとか名目だけの役員がいるなどは事前に整理が必要ですが、財務内容がきれいなら問題ありません。

業績の改善は後継者が手腕を振るってくれますから「黒字化してから承継する」というような無理な目標は立てなくて大丈夫です。むしろ、「借入金は社長として闘ってきた勲章だ」くらいの堂々とした気持ちでいてもらって結構です。

借入金をどうにかしようと労力を割くよりは、効率よく事業承継が進められるように「引き継ぐべきもの」をきちんと整理して、いつでも渡せる準備をしておくことのほうがはるかに大事です。

④分散株式は回収するのがマナー

複数の株主に株式が分散している場合はなるべく回収しておくのがマナーです。後々のリスクを予防するためです。

事業承継で種類株を作ったり後継者に株を譲渡したりする際に、自社株を所有している者は誰かを把握する必要があります。業歴の長い会社になると、少数の株式を様々な者が持っていることが経営のリスクの種になることがあります。

例えば後継者が分散株を回収したいとなったとき、誰が株主かが分からないと困ります。

1990年以前は会社設立時に7名の発起人が必要だったため、名義だけ借りて株主になっている場合があります。また1990年初期頃はオーナー家の相続対策として、株式を親族以外の他者に安価で渡すという方法が取られることがよくありました。あるいは過去に上場を目指して他者の資本参加を募り頓挫したケースで、資本の払い戻しなどが行われないままたくさんの株主がいる場合があります。

このような分散株式は時間の経過とともに株主が亡くなり、相続でその子や兄弟、孫などにさらに分散している可能性があり、株主名簿にある人物と実際の株を持っている人が異なることが生じてきます。

分散株式の所有者がオーナーの親族や知り合いなら所在を辿ることもできますが、第三者である後継者では非常に難しくなります。

また、分散株式を持っている株主が「私は先代を応援したくて株主になった。経営者が代わるなら株を買い取ってほしい」とか「親がお宅の株主で株を相続したけど、要らないから買い取って」など言い出したときも困ります。

会社に買い取るだけの資金的余裕があればいいですが、なかった場合ピンチに陥ります。融資が受けられるかどうか分かりませんし、融資してもらえたとしても経営を圧迫します。

分散株式の管理のコストもかかります。たとえ1株しか持っていない株主でも会社は株主名簿上で管理をし、議決権ありなら株主総会の招集通知を出すなどの対応をすることになります。

いずれにしても分散株式が多いことはリスクにはなり得てもプラスに働くことはまずありません。後継者に株を譲渡する前に、できるだけ回収して名簿をきれいにしておくことが大切です。

⑤自社のコアコンピタンスを明確化

引き継ぐべきものを整理していく中で、ぜひやってもらいたいのが「コアコンピタンスの明確化」です。

コアコンピタンスとは、「競合他社を圧倒的に上まわるレベルの能力」「競合他社に真似できない核となる能力」のことです。ひと言で言えば「得意分野」に当たるでしょうか。

自社の強みを明確にしておくことで事業の重点を置くポイントが分かり、後継者にうまく引き継ぎやすくなります。

熟練エンジニアによる高い技術力が強みの会社であれば、その技術やノウハウを持った人材を大切に引き継がなければなりませんし、ブランド力の高い会社は企業イメージを守っていかなくてはなりません。

コアコンピタンスの見極めには5つのポイントがあります。

・移動可能性（Transferability）……自社の商品やサービスに汎用性があるか。汎用性があれば、今の分野以外にもビジネスチャンスが拓けます。

・模倣可能性（Imitability）……競合他社が自社の製品やサービスを真似できるかどうか。簡単に真似されるようでは、市場での優位性を保てません。

・希少性（Scarcity）……市場に同じような商品やサービスが出回っていれば、レッドオーシャンになり、生き残りが厳しくなります。逆に、希少性があればブルーオーシャンで勝ち残っていけます。

・代替可能性（Substitutability）……他の商品・サービスに置き換えることができるか。簡単に置き換えができないオンリーワンは、どの分野でも最強です。

・耐久性（Durability）……長期にわたって優位にたてる。今はオンリーワンでもすぐに競合他社に追随されてしまう、ビジネスモデルの消耗が早いなどは、短期間で強みが消えてしまいます。

コアコンピタンスがないということは、そもそも事業としての将来性が弱く、余程でないと事業承継したい相手は見つかりません。

時代に合わせたスピード感や常に進化し続ける姿勢がないとコアコンピタンスは失われてしまいます。社長が高齢になると業績が悪化するというのも、進化の力が弱くなっているからかもしれません。

今一度、経営者として会社のビジョンを明確化してください。10年先30年先の自社の姿を描くことで夢のある未来が語れます。成功や成長のビジョンが見えればワクワクして、会社を継ぎたいと言ってくれる後継者が現れる可能性が高まります。

⑥後継者候補の資質を見抜く

後継者候補が現れたら次は自社にとって相応しい人材かどうかの見極めが必要です。社外から後継者を探せば確かに選択肢は広がるものの、これまでほとんど面識がなかった人が経営を継ぐことになりますから、過去の実績や本人の能力、経営に対する熱意などを見極めるのは親族内承継や社内承継と比べると格段に難しくなります。

●「どういう人材がいれば助かるか」で条件を挙げる

私もこの仕事をしていると多くの社長と事業承継の話をしますが、そのとき「良い人材がいたら紹介してよ」と頼まれることが多いです。しかし、後継者探しは結婚のお見合いと同じで漠然と良い人を探しているうちは本当のめぐり逢いはできません。

後継者に求める条件が明確でないということは、ターゲットがぼんやりしているということです。つまり、出会った相手が自分の望んでいる人なのかどうかの判別がつきません。

もし理想の後継者に出会っていたとしても、そうとは気付かずに縁を台無しにしてしまうこともあり得ます。

まずは後継者に望む条件を書き出すなどして明確化します。そして譲れないものに優先順位をつけていけば、自分が希望する後継者像がはっきりしてきます。

条件を考えるときは「どういう人材がいたら助かるか」「自分の右腕に欲しい人材とは?」という視点で考えると、具体化しやすいです。

●自社の事業に願望と熱意を持っているか

ランチェスター経営で知られる竹田陽一氏は「事業を成功させるためのウェイトは、熱意・願望が53%。戦略・戦術は47%」と述べています。頭で理論的に考えることより、熱意があるほうが大事だということです。

後継者選びでも自社の事業に興味を持っているかは、仕事を任せるうえで重要な条件です。

単に会社の業績が良いから、社長の報酬が良いから、ネームバリューがあるからなど上辺だけの条件の良さで選んでいないかどうかを見ます。お見合いで言えば、高学歴、高収入、外見、家柄などで選んでいないかどうかです。

結婚では今は収入が良くてもリストラされて無収入になることもあります。そのときにお金だけで結婚したカップルは離婚してしまうはずです。それと同じで会社の業績も良いときもあれば落ち込むときもあります。業績が悪くなったらやる気を失う、会社を放り出すというのでは困ります。

本当に会社の事業が好きであれば、多少の業績の浮き沈みで心が離れることはなく、むしろ「この会社を元気にしたい」と頑張ってくれるのです。

●従業員を幸せにしてくれる人かどうか

いくら仕事が優秀でも思いやりがなく、自分のことしか考えない経営者だと従業員が苦労します。自分が気に入らないと辛く当たったり、解雇したりされたりすることも起こりえます。

従業員は一緒に日々を戦ってきた戦友ですから彼らを幸せにできない後継者には会社を任せられません。

従業員を大切にしない会社というのは、一時的に業績が上がることはあっても長続きはしないものです。社長のため組織のために頑張ろうという気持ちがなくなり、自分のためだけに働くようになり、しまいには辞めて行って会社の組織力はボロボロになります。

●どういう価値観の人間か

人それぞれ仕事観や人生観は違います。どれが正解というのはないですが、後継者候補の仕事観や価値観に共感できるか、自分とは違う価値観でも「そういう考え方もあり」と思えるかどうかは大切な判断基準です。自分とはまったく相容れない価値観の人とは、なかなか同じ方向を見て進んでいけません。

後継者候補が何に喜びを感じる人なのか、何を大事に考える人なのか、人生のテーマは何なのかなどをよく見て、話してください。

たとえば「お金を稼ぎたい」という後継者候補がいたとして「この人はお金目当てだから不合格」とすぐ結論するのではなくもっと深く掘り下げていきます。「お金を稼いで何をしたいの?」→「それを手に入れたい理由は?」→「欲しいものを手に入れたらその先は?」と聞いて行けば、その人が本当に欲しいもの（本質的な価値観）が見えてきます。

・仕事の能力だけでなく経営の能力を見る

経営をしてきた人なら分かると思いますが、仕事の能力と経営能力は必ずしも一致しません。大会社の部長クラスといえばかなり仕事のできる人ですが、経営をやらせてみると全然ダメということがあります。

その人の肩書だけ見て全部を信じるのではなく、実際に経営をさせてみて適性を見定めるようにするのがポイントです。「こういう場合はどういう経営判断をするか」のように、お題を出してシミュレーションしてみるのも有効です。その答えによって経営に向いているかどうかを測ることができます。

経営させてみて最初は手こずってもこちらの教え方次第で伸びていく人もいます。逆にスタートダッシュは良くても、途中で伸び悩む人もいます。この辺りは長年経営者をしてきた読者なら、ある程度の目利きができるのではないかと思います。

自分の眼に自信がないという場合は、第三者の意見を聞くのが望ましいです。人材育成のコーチや人事採用の担当者など、様々な人を見てきた人なら何回か面談すれば的確な感想やアドバイスをしてくれます。

●性格は「素直な負けず嫌い」

性格面では「素直な負けず嫌い」が良いと考えます。

素直な負けず嫌いとはどういう性格かというと、例えば自分より仕事のできる人がいたときに相手を否定する人と肯定的に見る人がいます。否定的に見る人は「あいつはズルイことをして成績を上げているんだ」「コネで出世した」と言うように、相手のことを貶めて自分が上に立とうとします。

肯定的に見る人は「あいつ凄いな」と、素直に相手の良さを認めます。さらに、そこで「でも、負けて悔しい！」「自分もあいつみたいになってやる！」と思うことができたら、次は自分も良い仕事ができるように努力します。これが素直な負けず嫌いです。

前者と後者どちらが成長できるかは言うまでもありません。

経営者は人の上に立つ仕事でともすれば傲慢にもなりがちですが、そこを勘違いしないで謙虚でいられる人は自分も周りも伸びていけます。

⑦事業承継の主役は後継者と心得る

マッチングが実現したら実際の事業承継に向けての「インターンシップ」のフェーズに進みます。後継予定者（インターン）として自社で働いてもらいながら、お互いの理解や信頼関係を深めていきます。お見合いで例えれば婚約の段階です。

私はオーナーと後継者のマッチングやインターン期間のフォローを仕事にしていますが、その中で定期的に両者のヒアリングをします。お互いの本音を語ってもらい気持ちや考え方のすれ違いをなくすためです。

その中で分かってきたのは「オーナーは不安、後継者は不満」の関係にあるということです。

オーナー側の意見としては「なんか頼りない」「安心して仕事を任せられない」「外の仕事ばかり出て、社内のことは後回しで大丈夫か」などが出てきます。

一方、後継者側は「いつまで経っても任せてくれない」「自分を評価してくれない」「俺のやり方に口出ししてきてうるさい」などが多いです。

問題はオーナーは後継者の不満に気付かないし、後継者はオーナーの不安に気が付いていないという点です。

オーナーは安心させてほしいのに、後継者がどんどん先に行くのでさらに不安が増します。一方、後継者は自分を認めて欲しいのに、オーナーが首に縄を付けようとしているように感じてますます不満を募らせます。

また、話したいオーナーと話したくない後継者の溝もあります。オーナーは色々と不安なことを解消したくてあれもこれも話したいという思いが強くあります。経営の先輩として教えてあげたいこともたくさんあるので、どうしても話が長くなりがちです。反対に後継者はあれこれ言われたくないので、話を早く切り上げたくてウズウズしています。これがオーナーには「堪え性がなく人の話を聞かない」と感じられるのです。一方、後継者は「年寄りは話が長い」という受け止め方になります。

このようにしてお互いに不信感やフラストレーションが溜まり、気持ちがすれ違って交わらないというパターンが実に多いのです。

しかし、こうしてそれぞれの視点で見ると相手が何を感じ考えているかが分かってくるのではないでしょうか。

自分が一生懸命ボールを投げても後継者がちっとも返してくれないというのは、もしかしたら後継者のいない方向にボールを投げているのかもしれません。あるいは後継者が今はキャッチボールをする準備ができていないのに、無理矢理ボールを投げつけているのかもしれません。

こういう場合どのようにして解決するかというと、1つは両者間に仲介役を入れるのがベストです。「後継者はあなたに反発しているのではなく、認めて欲しくてあのような態度になっているんですよ」など、相手の気持ちを客観的に解説してもらうことで「ああ、そうだったのか」と納得し、前向きな対話ができるようになることが多いです。

もう1つは「事業承継は後継者が主役」であることをオーナー側が弁えることが大事です。

オーナーからバトンを受けて走っていくのは後継者です。事業承継後は後継者が一人で走っていくことになりますから、後継者が走りやすいようにバトンを渡してあげるべきです。

オーナーはバトンを渡したらコースから出て応援するのみで、むやみにコースを走り続けると危険です。

今まで存分に社長業をしてきたのですから、主役の座は後継者に譲ってのんびりと高みの見物をしていいのです。

⑧この瞬間から社長の代わりができる人材を探す

私は後継者育成の講座を開いていますが、そこに集まる受講生たちに「後継者ってどんな人？」という質問を必ずします。そこで出てくる回答は「ぼんぼん」「お金持ち」「社長の息子」など、ほとんどが漠然としたイメージです。

後継者とは何かというと「今、この瞬間から社長の代わりができる力を持った人」です。会社にとって一番のリスクは今の社長が仕事ができなくなることです。社長がいなくなることで事業は停止し従業員は戸惑い、意思決定をする者が不在になって右往左往します。

そのとき即座に社長の代役ができるのが後継者という存在です。

そのように考えると後継者に必要なものが見えてくるはずです。

第一に経営のスキルがないといけませんし、自社のことが分かっていないといけません。また、どんどん意思決定をしていかなければならないので受け身であっては困ります。情報収集のアンテナを張り、先を見越した戦略や対策を立てる能力も必要です。さらに従業員や取引先との関係を円満に続けられることも不可欠な条件です。

後継者とはそういう存在だということが実はあまり理解されていません。後継者は社長にもなりきれず、かといって従業員とも違うという中ぶらりんな存在になりがちです。すると本来の目的（社長の器になる）を見失ってしまい、異業種交流会ばかり行って会社に来ないとか得意な仕事だけやって他は手つかずなど、経営を学ぶことに身が入らなくなります。

オーナーのほうも後継者とは何たるかを分かっていない場合、単に株式や事業用の資産を譲渡して事業承継をした気になってしまいます。

⑨自社に合わせた後継者を育成する

社長の代わりができるためには、重点的に育成しなければならないポイントがあります。

●後継者に必要な経営の4大テーマ

後継者向けのスクールでは、後継者としての心構えや経営に関する知識などを学びます。スクールごとにプログラムやカリキュラムは異なりそれぞれに特色がありますが、基本的な部分はどこも同じだと思います。

スクール出身者がどういう知識やスキルをもっているのかを知っていただくために、当社のプログラムに基づいて概要をお話しします。どこのスクール出身者でもこの部分は習得済みと考えて育成期間を短縮することができます。また、後継者がスクール出身者ではない場合は自社で育成する際に意識するべきポイントが分かると思います。

まず経営で知っておきたい具体的な中身として、4つの大きなテーマがあります。

1つめはビジネスモデルです。自社の強みを見抜き、限られた人材・資金・時間を活用していかに利益を生み出していくかがテーマです。経営戦略や業績の立て直しなどに必要なものです。

2つ目の財務・資金は、決算書の数字の読み取りや特にどの数字に注目すればいいかなどがテーマです。本当に今のやり方で利益が出ているのかどうか、会社が倒産しにくいかどうか、クリーンな経営で健全かどうかなどを判断するのに必要なスキルです。

3つ目に人・組織とリーダーシップがあり、これはリーダーシップの本質を学ぶのがテーマです。後継者に求められるリーダーシップは創業者に求められるリーダーシップとは性質が異なります。そのことを踏まえて「人を通して課題を解決する力」を養っていきます。

4つ目は統治基盤です。株式やコンプライアンスなど会社の土台となる要素です。基盤が揺らぐと会社そのものの存続が危うくなるため、いかに基盤を強固にしていくかがテーマです。

4つのテーマを通して受講生に伝えるのは「先人の失敗に学ぶことの重要性」です。

ビジネス成功者が成功した経緯や理由を紐解いていっても、人それぞれで成功の秘訣が違います。発想の妙で勝ち上がってきた人、人心掌握術に長けて味方を増やしてきた人、神がかり的な強運で成功した人など本当にバラエティに富んでいます。これは経営者によって強みが違うためです。

つまり先人がうまく行った方法をなぞっても、必ずしも成功するとは限りません。それとは対照的に、多くの経営者が失敗するパターンを見ていくとみんな同じようなところで躓いたり足元を掬われたりしていることが分かります。失敗しやすい共通項を学ぶことで、同じ轍を踏まないようにするというのが経営のリスクを減らすことに繋がるのです。

ですから、オーナーからも自身の成功体験を話すより失敗談を話すほうが後継者の役に立って喜ばれます。

●自社のDNAを注入する

社内承継の場合は入社してから今までの間に様々なことを学んできていますが、外部招聘の場合は自社についての予備知識がほとんどない状態です。そのため、自社で経営していくのに必要な知識を与えてあげなくてはなりません。

最も大事なのは、会社のＤＮＡとも言うべきオーナーの経営理念や経営方針です。経営者としてどの方向を目指して進んで行ってほしいかを時間をかけて丁寧に教えるべきです。

また、社内の明文化されていないルールや習慣、企業風土、社員のモチベーションの源泉が何なのか、見えない爆弾がどこにあるのか、自社の強みは何なのか、どうしたら売上を立てて行けるのか……なども大事です。この現状把握なしに、今後の経営方針や戦略を立てることはできません。

●現場を学ばせる

中小企業研究センターが行った「教育の際、力を入れた分野」というアンケート調査がありまず。それを見ると、事業承継の成功企業も非成功企業も「営業」「財務・経理」と回答している割合が高くなっています。

しかし「生産・製造」「企画・開発」という回答は成功企業で高く、非成功企業で低くなっています。

つまり、営業や財政に関しては教育するのは当たり前で成功企業ではさらに生産や製造などの現場仕事をしっかり教えているということです。また、企画・開発など事業の開拓に関する教育にも余念がないことを示しています。

経営者は社長の椅子に座って算盤を弾くだけでなく、現場を把握する力や自社の強みを活かして将来の事業に活かしていく力が求められるのです。

●失敗することを良しとする

長く経営してきたオーナーの目から見ると後継者は何かと頼りなく思えるでしょうが、それは経営経験の浅さゆえです。自分が駆け出しの経営者だった頃を思い出してもらえれば、後継者の立場が見えてくると思います。

人との接し方やリーダーシップの発揮の仕方、人心掌握術など最初から何でもできたわけではないはずです。挑戦し失敗し反省し人のやり方も参考にしながら、自分なりの経営を作り上げてきたように後継者にも挑戦し失敗して学ぶ機会が必要です。

●十分な情報量を与える

すべての後継者に言えることとして、スタート時点では自社についての情報量が圧倒的に不足しているという不利があります。

オーナーは会社のことを全部知っているのでスピーディに経営判断ができるのですが、

後継者は経験も情報量も足りないために早い決断ができず、ときに誤った判断にもなってしまいます。これは能力の差ではなく経験と情報量の差から生じていることです。
ですから、経営に必要な情報は惜しまず与えてください。

●社外人材ならではの強みを伸ばす

社外から招聘した後継者の強みは、先入観やしがらみなしにまっさらな目で物事を見られることです。

この強みを活かせるようにオーナーがサポートしてほしいのです。今までやりきれなかった社内改革やコストカットの断行なども後継者がやってくれるはずです。

●後継者育成は子育てと同じ

人材育成は子育てと同じです。親のほうに余裕がないとイライラ、ガミガミ言ってしまいますが、心に余裕があると子どもが失敗したりぐずったりしても「こんなもんさ」と構えていられます。親が細かく口出ししないほうが子どもは本人なりのやり方や要領を掴んで、早く上手にできるようになります。

ゆっくり焦らず後継者が育つのを待つためにも、事業承継には時間的な余裕があったほうがいいです。オーナーが病気になってから慌てて育てようとするとあれこれ手や口を出さなくてはならず、後継者との関係が悪くなってしまう恐れがあります。

⑩後継者のやり方を否定しない

よくある事業承継のトラブルとして、大学で経営を学んできた後継者と叩き上げで実績を出してきたオーナーとで経営に対する考え方が異なり、意見がぶつかり合うというのがあります。

後継者は「経営は感覚でするものではない」と考え、オーナーは「理屈で経営ができるか」と考えるため話が交わらないというものです。

経営を学んできた後継者は理論的に戦略や戦術を立てようとしますが、オーナーにはそれが面白くありません。仕事は現場で動いているのだから、机上で数字やデータを組み立ても意味がないと感じてしまうからです。これは数々の現場をこなしてきた経営者ならではの感覚です。

しかし、後継者に対する遠慮もあって面と向かっては言えないので「できるもんならやってみろ」と思って見ています。失敗したときは「ほらみろ。俺の言った通りだっただろう」となりがちです。

一方、後継者のほうは「経験や勘で経営ができたら苦労しない」という考えや大学で専門に経営学を勉強してきた自負もあるので、理屈を大切にします。「先代に試されている」という思いから、失敗を回避するためにさらに念入りに理論を組み立てようとするかもしれません。

頭の中で戦略を立ててから動くことになるので、現場判断で条件反射的に動くよりも当然動き出しが遅くなります。これがまた、オーナーには「まどろっこしい」「鈍い」と感じられてしまいます。

オーナーが親切心から「こうしたら?」「こっちのほうが良いと思うよ」と提案やアドバイスをしても、「適当なことを言わないで」「考える時間くらいくれよ」と受け入れることができません。

こうしたすれ違いの一番の問題は、両者とも自分のやり方が正しくて（優れていて）、相手のやり方が間違っている（劣っている）と思い込んでいることです。

この二人のやり方を比較してみれば、どちらが正解でどちらが間違いとは言えないはずです。オーナーは自分のやり方で結果を出してきたという、何より強い実績があります。しかし、自己流のやり方で失敗してきたことも過去には多かったはずです。

失敗した事例の中には、もっと理論的に戦略を立てて動いていたら成功できたものがあったかもしれません。あるいは成功したものの中にも戦略をプラスすることで、もっと大きな成果が出せる余地があったかもしれません。

そのように考えると経営には「経験や勘」の部分と「理論や戦略」の部分とが両方必要で、この2つがバランスよく含まれていることが重要だという見方ができます。

つまり、事業承継ではお互いのやり方を否定するのではなく、お互いを認め合うことが大事になってきます。そして、後継者に足りない経験や勘といった「経営のコツ」の部分をオーナーが教えて補ってあげれば、経営者としての成長がぐっと早まります。

もし、後継者が新しい事業展開をやってみたいと言ったときも、できるだけ応援することが大切です。

そもそも、後継者には先代の真似ではなく、自分の力を試したいという思いがあります。だからこそ、他人の会社を継ぐ決意をしたに違いないのです。そのため、後継者が新しい事業を立ち上げてみたいと言いだすケースは多々あります。

そういうとき、私は後継者との面談で、先代への伝え方を工夫するようにアドバイスしています。いきなり後継者が「新規事業をやります」と伝えては、先代を不安にさせてしまうからです。

例えば、後継者は先代へ「今の経営状態だと先行きが不安なので、もう一本、事業の柱があったほうが安心だと考えました。こういう新規事業をやってみたいのですが応援してもらえますか」と伝えるようにします。すると、先代も「新規事業がうまく行かなかった場合、本業への影響が心配だから、別会社を作って挑戦してみなさい」などと冷静なアドバイスができるのです。

人間関係がまだ十分にできていない社外人材が後継者となる場合、オーナー側が一歩引くというのが重要です。

⑪議決権株式の譲渡は半年〜1年後とみる

第4の事業承継では種類株式を使って少数の普通株（議決権あり）だけを後継者に譲渡しますが、譲渡するタイミングは、あまり急がないほうが良いです。

早く経営を後継者に渡して引退したいという気持ちもあるかもしれませんが、議決権株式を渡すと経営権が完全に後継者に移ってしまい、現オーナーは口出しができなくなります。後継者の仕事ぶりに不安や不満があるうちは、株の譲渡は待ったほうが無難です。

私の場合も議決権株式を譲渡してもらうまで1年かけました。すでに先代は逝去して不在でしたが、1年間は株式のことは話さず、私の適性を娘さんに見てもらおうと考え懸命に頑張りました。試用期間中は、保険の仕事と社長業を両立していました。急な事業承継で保険の仕事をすぐには後任に引き継げなかったことと、万一、社長業がうまく行かず事業承継が破談になった場合に保険の仕事に戻れるようにと考えてのことです。

幸い1年で赤字を黒字に換えることができ、社員たちから私が社長になることへの異議も出なかったので無事に株を買い取ることができました。

この「お試し期間」は我ながら良かったと思います。試用期間があったおかげで、私・株主・社員の3者が納得して新体制へと移行できたからです。

試用期間の目安としては概ね半年〜1年くらい設けておけば、後継者の人柄や経営者としての資質を査定でき会社のDNAの注入もできます。

⑫橋渡し役を採用し、意見の衝突を回避

事業承継ではオーナーと後継者の対話がとても大事です。対話ができないとどんどん溝が深まり、修復不可能になってしまうことがあります。そうならないためには直接意見をぶつけ合うのではなく、間に中立的な立場の人を入れて対話するべきです。

緩衝材となってくれる人がいると、意見が対立しそうになったときも火花を散らすことを避けられます。

また、仲介役がいることで言いにくいことも話せます。例えば、オーナーから後継者のやり方について「この部分については従来の方法を守ってほしい」「取引先は切らずに今

まで通りで」などの要求はしにくいものです。経営に口を出すのかと気分を害する恐れがあるからです。

特にお互いの損得や感情が絡む問題のときは、仲介役を通じて後継者に話してもらうことで角が立たずマイルドに伝わり、こちらの要求が通りやすくなります。

愚痴や不満、不安などは、たとえ解決ができなくても人に話すだけでガス抜きになり、許せることも多々あるものです。

円満な事業承継をするには「オーナー・後継者・橋渡し役」の3者を揃えて進めるのが最もリスクを減らせる秘訣です。

面談のポイントは3者の同席ではなく、オーナーと橋渡し役／後継者と橋渡し役というように別々の場を設けることです。そうすることで直接は言えないことも話せます。

橋渡し役はヒアリングしたことをそのまま相手に伝えるのではなく、情報を整理して必要なことだけ伝えるようにします。

あくまで中立的な立場を貫き、お互いにとって必要な情報を取捨選択して伝え、前向きに対話が進むようにコーディネートするのが橋渡し役の役目です。人間関係のナイーブな部分なので気を使いますが、なかなかできる人がいないからこそ腕の見せどころでもあると思って私も日々の面談に臨んでいます。

ちなみに事業承継の仲介役にはM＆A仲介業者や税理士、経営コンサルタントなどがいますが、株式譲渡が任務のゴールになりがちで人間関係の泥臭い部分には立ち入らないケースがほとんどです。そこに踏み込んでも大したお金にならないし、カウンセリングのプロではないので負担が大きいからです。

後継者選びと同様に仲介役選びも慎重に行ってほしいと思います。

⑬「恕《じょ》」を大事にする

「恕」とは、『論語』に出てくる言葉です。

あるとき弟子が孔子に尋ねました。「ただ一言で、一生行っていくに値するものがありますか」。すると、孔子がこう答えました。「それは恕だ。自分がされたくないことを人にしてはいけないよ」。

この故事から、恕とは「他人の立場や心情を察すること」「相手を思いやって許すこと」という意味で使われます。

事業承継でもこの恕の心が成功のカギとなります。「自分が後継者なら……」「自分が社長なら……」「自分が社員なら……」と想像を働かせることで相手の気持ちを思いやり、立場を尊重して行動していけます。

事業承継を進める際に、後継者とオーナーで「恕」を合言葉にし、衝突しそうになったり相手への不満が募ってきたら、心の中で「恕」と唱えるのです。すると立ち止まって「そうだ、後継者（もしくはオーナー）はどう思っているだろう」と振り返ることができ、暴走しそうな気持ちを落ち着かせることができると考えます。

冷静になってみれば事業承継の主役は後継者であることを思い出し、譲れることも出てくるはずです。まずは自由にやらせてみて失敗しそうになったら手を貸してあげるという距離感が理想です。

ぴったりくっついて二人三脚すると疲れますから、ちょっと離れた後ろから見守りながら付いていくのです。そうすると程よい距離が生まれ、お互いがストレスになりにくいと思います。

⑭後継者は家族同然。感謝と愛情で接する

事業承継ではしばしば後継者とオーナーとの対立が起きますが、両者は敵ではありません。二人で同じゴールに向かって進んでいく同志です。

また、オーナーが人生を捧げて築き上げてきた会社という「宝物」を自分に代わって守り、さらに大きくしてくれようとしている後継者は恩人でもあります。後継者がいなければ会社は廃業していたかもしれないのです。

ですから、色々と至らない点や心配な点はあっても根底には「ありがとう」の心があってほしいのです。

会社を「あげる」のではなく、「受け取ってもらう」。

後継者は「他人」ではなく、会社のＤＮＡを引き継いだ「家族」と捉えます。

そのように思えたら後継者への愛情が深くなるはずです。

人間関係というのは鏡映しですからこちらが苦手だなと思えば相手も離れていくものです。こちらが愛情をもって接すれば、必ず向こうも愛情で応じてくれるに違いありません。

従業員など関係者との関係作り編

⑮オーナーのお墨付きを宣言する

外部招聘の後継者は、初対面で従業員からの理解が得られにくいのが普通です。私も初めは「何者だ、こいつ」「本当に社長ができるのか」というようなネガティブな感情に出合いました。とりわけ私の場合はメールでの事業承継で先代からの引き継ぎが何もなかったため、余計に従業員の戸惑いや私に対する違和感は強かったに違いありません。

インターンの期間が終わって正式に後継者になることが決まったら、なるべく早い段階で従業員には報告すべきです。

「自分はこの会社の後継者には彼しかいないと思っている」「1年間の仕事ぶりを見て、会社の未来を託せる人材だと判断した」というように、オーナーのお眼鏡に適った人物であることを宣言するのが効果的です。その一言があるのとないのとでは大違いです。

これまでオーナーを信じて付いてきてくれた従業員ですから、そのオーナーが抜擢した人材なら大丈夫と思ってもらえます。

最初のハードルが下がることで後継者にかかるプレッシャーも軽減できます。

⑯進むべき方向を従業員に伝える

「オーナーと後継者が同じスタンスである」ということを、言葉や態度で従業員に示すことも大事です。

経営者が代わっても今までと進む方向は変わらないということを知らせてあげないと、従業員は不安です。オーナーが完全に引退するまでは会社にトップが2人いることになるため、どちらに従えばよいか分からなくなってしまいます。社長を引退して会長になる場合も同様です。

「先代派」と「後継者派」に従業員たちが分裂してしまうという事業承継の失敗パターン

もそうして生じます。

従業員たちが二分するとどうしても対立構造になります。どちらが主流派になるかで社内での立ち位置や処遇が違ってくるからです。仕事より派閥争いにエネルギーが割かれれば事業にも支障を来たします。

派閥に合わない人を排除して辞めさせてしまうケースもあります。企業小説の世界ではドラマが盛り上がりますが、自分の会社で起こると笑い話では済みません。

⑰後継者に「錦の御旗」を預ける

後継者のリーダーシップの発揮の仕方は、創業者のそれとは違います。創業者の場合は強いリーダーシップで「俺に付いて来い」が通用しますが、後継者がそれをやると誰も付いてきません。「何も知らないくせに偉そうに」と反感を買うのが目に見えています。

もっと言えば、後継者のことを自分たちが信じて付いてきた先代社長を追い出した敵のように見られてしまうこともあります。ですから、後継者には自分と同じようなカリスマ性を求めてはいけません。

リーダーシップについては私も後継者育成プログラムで講義をしますが、いつも受講生たちに言っているのは「錦の御旗を掲げよ」です。

錦の御旗とは天皇の意志を示す印として官軍が掲げる旗のことです。御旗を掲げることで自分たちは天皇の権威や大義の下にあり、それを代行する者だという印になります。つまり自分は先代のやり方を踏襲し、先代ができなかったことを代行する者であるという表明を従業員の前でしなさいと教えています。

後継者の犯しがちな過ちとして「先代のやり方を否定する」というのがあります。「先代のやり方は古い。自分が改革する」と言い出すのがその例です。初動からそれをやるとたちまち従業員から反感を買います。

先代を否定するということは、先代に付いてきた従業員たちも否定することです。「俺たちがやってきたことが間違いだったと言いたいのか」「俺たちを無能と思っているのか」と、従業員たちは傷つき腹を立てるでしょう。

そうではなくて「先代が目指したものを私も目指していきたい。だから従業員のみなさんの力を貸してください」という姿勢で対話すると、後継者は理解や共感が得られやすくなります。

従業員に付いて来させるという目的は同じなのですが、社長の命令で引っ張っていくのか従業員たちが自分の意思で付いて来るのかで、後継者との団結の仕方が大きく違ってきます。

ですから、オーナーも後継者に御旗を預けたことを従業員に表明するべきです。「私がやり残したミッションを後継者に託したのだ」「彼は私の意志を継ぐ人だ」ということを折に触れて話して聞かせることも必要です。

そういう意味では後継者は自信満々に見せるよりも、ベテランの従業員に相談するなどしたほうが「よし、それなら助けてやろう」と思ってもらえます。素直な人や頑張っている人のことは誰でも応援したくなりますし、頼られて嫌な気がする人は少ないはずです。後継者が困っていることを隠さなければ、手を貸してくれる従業員も出てくるものです。

従業員に対してマウントを取るような態度に出る後継者がいますが、それは「下手に出るとバカにされる」と恐れているからです。実際にはみんな大人で立場を弁えているので大抵の場合は後継者の疑心暗鬼なのですが、まだ自信がないため虚勢を張ってしまうのです。

後継者にリーダーとしてあるべき姿を教え、従業員への態度を改めるように軌道修正していくのも先代の務めです。

⑱人をやる気にさせて動かす

経営者の仕事とは何でしょうか？　答えは「業績を生み出せる組織を作り続けること」です。

経営者は自分が動いて課題を解決するのではなく、従業員を動かして課題解決することを学ばなくてはなりません。経営者がいつも現場に出てしまったのでは、事業全体の把握やマネジメントができないからです。司令塔はやはり高いところに立って全体を見渡し、戦力の足りないところに人員を配置したり、今は攻めるとき・守るときなどの指令を下すスキルが必要です。

経営者に必要なリーダーシップとは「人を通して課題を解決する力」だと言ったのは、

こういう意味です。

もう少し掘り下げて説明すると「リーダーシップの普遍の2軸」というのがあります。リーダーとして成果を出している人たちの行動特性（コンピテンシー）を研究している人たちがいるのですが、その研究によるとEQ（人の感情レベルに働きかける力・スキル）とIQ（物事を体系立てて実行していく力・スキル）の両方を兼ね備えているリーダーは成果を出しやすいことが分かって来ました。

IQとは、具体的に言えばビジョンの設定、目標達成や進捗状況に対する関心、ルールの徹底、課題に向けてのバイタリティなどを指します。

EQは、人への気配り、自主性の尊重、コミュニケーション重視などのことです。

このIQとEQの関係は、足し算ではなく掛け算です。つまり一方だけが強くても、もう一方がゼロだとリーダーシップはゼロとなってしまいます。例えば、IQが高くてEQが低いと「仕事はできるが人望がない」リーダーとなります。EQばかり高くてIQが伴わないと、「人望はあるが仕事はできない」リーダーになります。

リーダーが2つの要素をバランスよく高めていくことで、健全な組織、力を発揮できる組織になっていけます。

⑲幅広い関係者からの支援体制を作る

従業員や株主など社内関係者に理解を得るのはもちろんのこと、金融機関や取引先など外部関係者にも社長交代への理解を求めることが大事です。

中小企業研究センターの調査研究レポート（『中小企業の事業承継に関する調査研究～永続的な成長企業であり続けるための事業承継～』）では、事業承継の成功企業・非成功企業とも社内関係者に事前の理解を得ていることは共通していますが、外部関係者についでは成功企業のほうが事前の理解を得ている割合が高く、より広範囲に目を向けて根回ししているとあります。

また同じレポートで、後継者の補佐役がいるのといないのとで事業承継の成否が分かれるとあります。非成功企業では「補佐役なし」と回答する割合が高くなっており、補佐役の重要性が分かります。

ただし、先代の補佐役をそのまま後継者の補佐役にすることにはメリットとデメリットがあります。メリットは会社の歴史を知っていることです。デメリットは先代の補佐役のほうが後継者より従業員や取引先に顔が利き、後継者がイニシアチブを取れなくなってしまう恐れがあることです。

会社の若返りという意味では補佐役も代替わりさせたいところですが、人材の限られる中小企業では後継者不在と同じく補佐役の人材不足があります。この点も含めて事業承継には十分な対策のための時間を確保すべきです。

⑳軌道に乗るまで助けに入る

後継者に社長業を譲った後も従業員との関係や事業が軌道に乗るまでは、困ったときにいつでも助けられるスタンスでいなければ事業承継はうまくいきません。

従業員との関係がおかしな方向に行きだした……というとき、軌道修正ができるのは先代しかいないからです。その期間が半年なのか1年なのか、あるいはそれ以上かかるのかはケースバイケースですが、そう遠くない未来に必ず独り立ちできるときが来ます。それまでしばらくの間、温かく見守ってもらえれば後継者も従業員も安心できます。

たとえば、社長を正式に後継者に譲った直後は毎日午後の数時間だけ会社に顔を出し、相談しやすい状況を作り、1カ月後には2日に1回の出社、2カ月後は週に2回、3カ月後は週に1回……というように徐々にフェードアウトしていく方法を取るオーナーもいます。

一人で色々やりたい後継者でも引退した途端先代にまったく会わなくなるというのは、心細いものです。実際に一人で経営してみると、インターンのときにはなかった迷いや悩みが出てきます。そういうとき、先代にちょっと相談して意見をもらえると非常に助かります。

従業員のほうもときどき先代が顔を出してくれれば、後継者の愚痴もこぼせてガス抜きができます。引退後も従業員に慕ってもらえるというのは、経営者にとって嬉しいものです。

オーナーの気持ちの整理編

㉑「会社の未来」を描く

最後に1つ「オーナーの気持ちをどう整理するか」という問題が残っています。これは第4の事業承継に限らず、すべてのオーナーにとって考えておきたい問題です。社長業に未練を残さず、ポジティブに引退の日を迎えるための気持ちの切り替え方について私なりのヒントをお話しします。

まず、事業承継に対して後ろ向きなイメージを持っている人もいると思います。会社が人のものになる、後継者に好き勝手される、自分が愛した会社ではなくなる、社長でなくなった自分は何者でもなくなってしまうのでは……そんなふうに思っている人がいたらそれは少し違います。

自分が望まぬ後継者に会社を奪われたのならそう思うのは仕方のないことですが、自分

図表5　経営者交代による経常利益率の違い

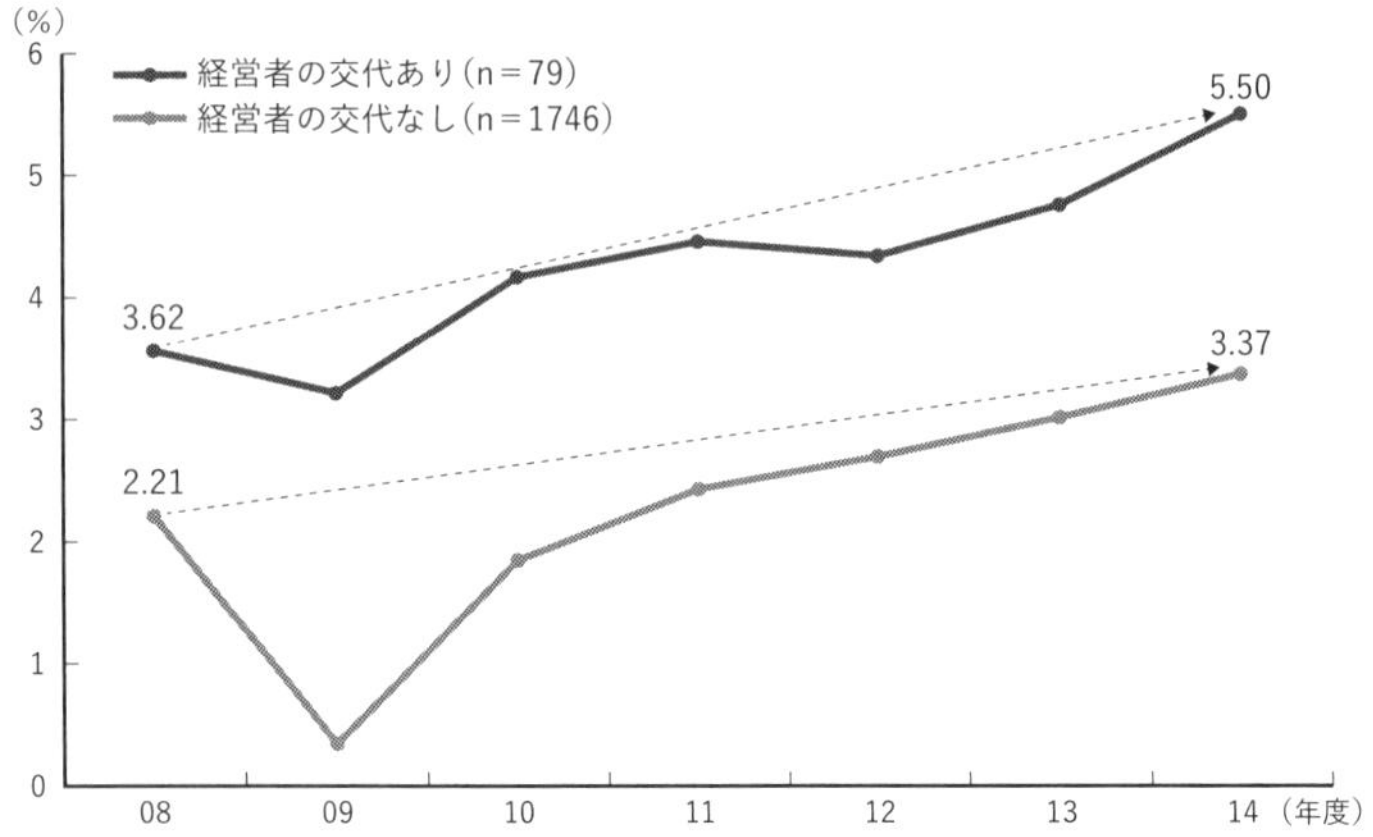

出典：『事業承継ガイドライン』

が納得して選び、育てた後継者に会社を渡すのですから会社にとっても従業員にとってもベストな選択です。

廃業していたら「会社を残したかった」という無念も残りますが、後継者がいてくれることで会社の歴史を残し未来を更新していくことができます。会社というストーリーの第一幕の主役があなたで後継者が主役の第二幕が開くと考えると、どんなストーリーが待っているのか期待を膨らませることができるはずです。

実際に社長が世代交代したことで業績が上がることが分かっています。２０１６年に中小企業庁が公表した『事業承継ガイドライン』

を見ると、若い社長ほど会社を成長させたい意欲や投資への意欲が高く、社長交代をした企業では交代していない企業より経常利益率や売上高を向上させています。

経営者にとって最も重要な仕事の1つが「未来の売上を作っていくこと」です。今の売上を立てることは優秀な右腕に任せることができますが、これから先どうやって売上を立てていくかは経営者にしかできないことです。

70歳の経営者が10年先の会社を語ることは難しいでしょう。しかし、後継者がいるということは会社の10年後20年後、さらにその先の未来が描けるということなのです。

会社を延命し未来を描くワクワク感を与えてくれるのが、事業承継の最大の恩恵です。

㉒引退後の資金計画を立てる

社長の肩書がなくなったら何者でもなくなってしまうのではないかという不安は、引退後のビジョンが見えていないことに起因します。つまり、引退後の自分を具体化していけば引退が怖くなくなります。

引退後のビジョンを描く際にお金の問題は大事です。世界旅行に行く計画を立てても、先立つものがないと絵に描いた餅になってしまいます。

今の年齢から平均寿命まで生きたとしてどれくらいの資金が必要かをシミュレーションするシートがあるので、こういうものを活用すると老後資金の目安が分かります。

ここでは日本FP協会が提供しているライフプランニングのシートを挙げてあります。年齢や家族構成、予定されるライフイベント、収入、毎月の生活費などを入れていくと、必要なお金の増減が見えます。それと照らし合わせて、70歳で引退して夫婦でクルーズ船の世界旅行に行くとすると、現状では貯金残高がゼロになる、だから、それまでにもう少し収入を増やしておきたい、というような計画が立てられます。

第4の事業承継では引退後もコンスタントに「自分年金」が入って来ますから、それで先々まで資金ショートが起きなければ安心して引退の日を迎えられます。

社長交代によって会社の利益率が上がることが期待できるので、現在よりも事業承継後のほうが株の配当や株単価が上がる可能性も高いのです。

図表6　キャッシュフロー表の書き方

ここに現在の年齢を記入

経過年数	現在	1年後	2年後	3年後	4年後	5年後	6年後	7年後
夫の年齢	38	39	40	41	42	43	44	45
妻の年齢	35	36	37	38	39	40	41	42
子どもの年齢	5	6	7	8	9	10	11	12
子どもの年齢	3	4	5	6	7	8	9	10
子どもの年齢								
ライフイベント			長男小学校入学		次男小学校入学	車の買い替え妻パート減らす		夫昇進
夫の収入	550	550	550	550	550	550	550	610
妻の収入	110	110	110	110	110	90	90	90
一時的な収入								
収支合計Ⓐ	660	660	660	660	660	640	640	700
基本生活費	200	200	200	200	200	200	200	200
住居関連費	175	175	175	175	175	175	175	175
車両費	34	34	34	34	34	34	34	34
教育費	54	54	54	54	54	54	54	54
保険料	40	40	40	40	40	40	40	40
その他の支出	35	35	35	35	35	35	35	35
一時的な支出						150		
支出合計Ⓑ	538	538	538	538	538	688	538	538
年間収支Ⓐ－Ⓑ	122	122	122	122	122	-48	102	162
貯蓄残高	122	244	366	488	610	562	664	826

家族のイベントを記入

「今年の貯蓄残高＝前年の貯蓄残高＋今年の年間収支」で計算

イベントにかかる費用はここに記入

出典：日本FP協会

㉓人生を24時間軸で捉えてみる

私自身も経営者なので自分がいつまで現役でいるかということを考えます。そのときに一つの目安にしているのが「人生の時間軸」です。

人の一生を24時間として考えた場合に現時点は何時に当たるのか、平均寿命までは何時間残されているのかを見るというものです。

生まれたときが午前0時として人生を男性の平均寿命である80年とした場合、私は今49歳なので午後3時にいます。午後3時ならまだ昼間のうちですが、のん気にはしていられません。平均寿命まで元気とは限らないからです。

介護なしで自立生活ができる期間（健康寿命）は男性で70歳くらいです。70歳は夜の9時なので、私が元気で活動できるのは実質6時間しかありません。

いつまでも健康ではいられないことを実感すると、引退や後継者の準備をそろそろ考え始めないといけないな、という気にさせられます。

焦らせるつもりはありませんが、一度24時間軸を書いてみるのもいいかもしれません。

図表7　ライフチャート

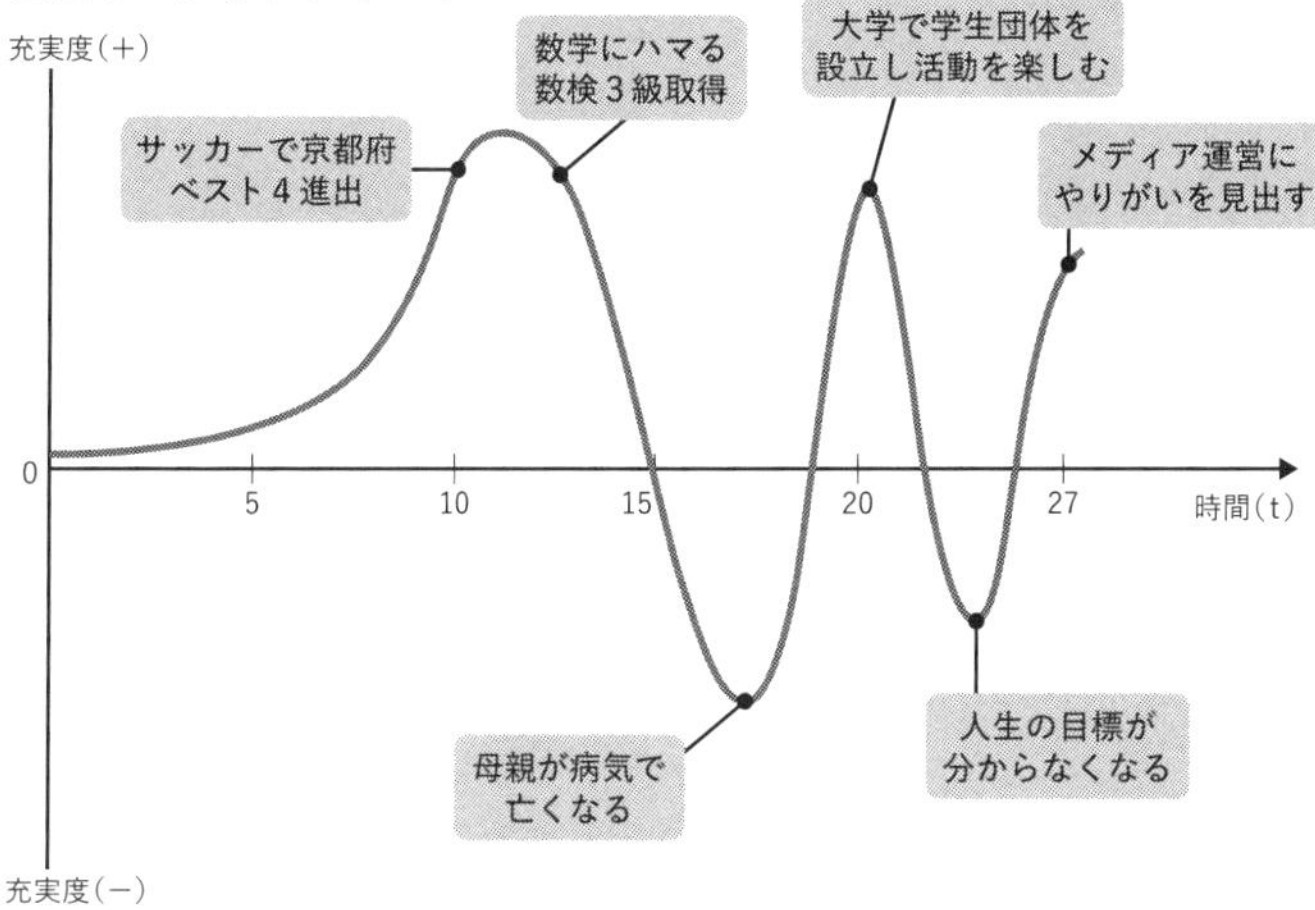

㉔人生の宿題を片付ける

もう一つ私自身もやっていることとして「ライフチャート」があります。生まれたときを基準として、人生の転機を振り返ってその時々の充実度をチャート化していきます。人生の軌跡を可視化することで自己理解を深めることができます。

人生を振り返っていくと、やり残したことやうまく行かずに諦めたことなどが見えてきます。「人は死ぬとき挑戦して失敗したことより、挑戦しなかったことを後悔する」とよく言います。

経営者としてやり残したことがあって引退

しきれないのであれば、今からでも片付けるべきです。思いを残してはスッキリと引退できません。

仕事以外にやってみたかったこと、やり残したことがある場合はそれこそ引退後に取り戻せばいいのです。

㉕引退後にワクワクできるビジョンを持つ

事業承継は会社の問題だと言われがちですが、私は社長の人生の問題だと捉えています。現役を引退することで人生がガラリと変わってしまうからです。人生が変わってしまうことへの不安や恐れがあるからこそなかなか引退の踏ん切りがつかないのだと思います。

「社長を辞めた後、何をしようか」と想像して何もすることが思い浮かばなければ「暇を持て余すくらいなら仕事していたい」となるのは自然な流れです。

逆に引退後にワクワクできるビジョンがあれば、引退の日が楽しみになります。

最近は「FIRE族」というのが注目を集めています。FIRE族とは経済的に独立した状態で早めにリタイアする人たちのことです。

アメリカでは20代30代で早期リタイアし、働くことに縛られずに生きる人たちが増えているそうです。彼らは株式投資などで収入を絶やさない仕組みを作ったうえで、リタイア後は節約しながら生活をすることで早期リタイアを可能にしています。

日本とアメリカとではお金に対するリテラシーや給与体系などが違うので日本でも同じことができるかというと難しいところがありそうですが、早めに現役引退して自分の時間を楽しむという生き方は一部でムーブメントになっているようです。

先日も55歳で会社をM＆Aで売却した人と仕事でお話しする機会がありました。「こんなに早く会社を売ってしまって、これからどうするんですか?」と尋ねると、「また別の会社をやる」と仰っていました。「お金を稼ぐことより生きがいを大事にしたい」とのことでした。

今、高齢者と言われる人たちは働くことが美徳とされた世代を生きてきました。1950年代〜70年代の高度経済成長期には「モーレツ社員」や「企業戦士」という言葉も生まれました。

真面目にコツコツ働くことが身に沁み込んでいる世代にとって、働かずにいることは罪悪感に繋がることもあるようです。引退後に待っている「毎日が日曜日」はある意味で地獄です。引退後も毎日が日曜日にならないビジョンを何か持つようにしていくことが大事ではないでしょうか。引退した後も経営経験を活かしてアドバイザーとして活躍している人や、ボランティアに精を出す人、趣味を突き詰める人、社会人大学で学び直す人、現役時代にできなかった家族孝行をする人など周りを見れば多くのお手本がいます。

80歳90歳でもSNSのインスタグラムを使いこなし、たくさんのフォロワーを多く持つ人がテレビで紹介されていました。車にひかれかけた姿、ゴミ袋に身を包んだ姿などユニークな写真を投稿する90歳のおばあちゃんや若者のストリートファッションを着てコーディネーションを見せるおばあちゃんなど、とても個性的で人生を楽しんでいる様子が羨ましかったです。

生き生きと活動されている先輩方に刺激をもらって、読者の皆さんにも更に輝いていただければと思います。私も今の事業の中で、社長たちの引退後の姿や可能性をもっと伝えていく努力をしていきます。

第5章

会社をつぶさず、後世に残すことが経営者としての最後の務め

事業承継は経営者の最後のテスト

ドラッカーの言葉に「事業承継は偉大なる経営者が受けなければならない最後のテストである」とあるように、経営者にとって会社を次の代に引き継ぐことは最後のミッションです。

私も経営者の一人としてこの言葉を重く受け止めているのですが、会社を興したり先代から引き継いだりすることよりも会社を存続させて次の代にバトンタッチすることのほうが、はるかに大変だと感じます。

今の会社を継いですぐの頃の私は「後継者って大変だな」と思っていました。だから未来の後継者たちが自分と同じ苦労をしないようにと、ＬＥＡＤＥＲＳプロジェクトの新事業を始めたのです。

しかし、ここまで会社を経営してみて利益を出し雇用を維持し続けていくことの苦労とプレッシャーを身に染みて知りました。今は「後継者は大変、でも経営を続けていくことのほうがもっと大変、次の代に繋ぐのはもっと大変だろう」というのが本音です。

どんなに大変でも会社は残していきたい、自分の代で潰すもんかという決意はあります。私の会社は２０２１年で創業73年を迎えました。この歴史を私で途絶えさせるわけにはいきません。先代たちが人生を捧げて守ってきたロマンの結晶を、未来に繋ぐ使命が私にはあります。

改めてドラッカーの言葉の真意を考えると事業承継を成功させてこそ本物の経営者であり、単に事業承継を完了するだけでは及第点をもらえたに過ぎないと読めます。事業承継に失敗したり廃業したら経営者として赤点です。

事業承継ではただ後継者を見つけて株を渡せばいいというのではなく、承継のプロセスや質も大事だということです。承継の質とは自社のＤＮＡを確実に後継者に引き継ぐことです。承継のプロセスとは承継を進めることで誰かを傷つけたり不幸な人を作らないということです。

事業承継が成功か及第点か失敗かは、何年か経ってから分かることです。その場では完璧に成功したように思えても半年後１年後に経営が揺らぐことがあれば、それは成功とは呼べないからです。

後で振り返ったとき会社に関わるみんなが笑顔で「良かったね」と言い合えるのが、事業承継の成功でありゴールです。

私自身もこれから事業承継をするときに、ドラッカー先生に花丸をもらえるように気を引き締めたいと思います。

日本は世界1位の100年企業保有国

今は事業承継や企業同士の生存競争が難しい時代になっていますが、もともと日本企業は長生きといわれます。日経ＢＰコンサルティング・周年事業ラボが調査したところでは世界で最も100年企業が多いのは日本の3万3076社で、世界の100年企業のうち41・3％を占めています。

さらに凄いのは創業200年企業でも日本は1位で、世界で占める比率が65％にもなることです。2位のアメリカは11・6％なのでダントツで日本が多いことが分かります。

ちなみに、日本で最も長生きの上場企業は434年の松井建設だそうです。非上場も含めた日本最古の企業は578年創業の金剛組だと言われています。飛鳥時代から1400年以上、宮大工の技術を継承しています。

1400年以上もの間、戦争や不況や飢饉などいくつもの試練があったのに脈々と職人を育て、職人から棟梁を育て、経営者を輩出してきたことに感動します。

私も先達にあやかって、今の会社を100年企業にすることを目指しています。

今、廃業を考えている中にも歴史のある会社のオーナーがたくさんいるはずです。せっかくの歴史を絶やしてしまうのはあまりにも残念です。歴史があるということは、それだけで価値があることです。その価値をどうにかして次の代に繋いでほしいと願います。

「自分の代で終わり」は万策尽きたとき

私は一貫して「廃業は最後の選択」だと思っています。親族内承継も、社内承継も、M&Aもできなくても、第4の事業承継があります。

第4の事業承継にも確かにハードルはありますが、それをクリアするための方法や対策もきちんとあります。例えば、今は社外から後継者を見つけるハードルも下がって来ています。それに後継者を育成してくれるセミナーやスクールもあります。しかるべき手順を踏んで進めていけばきっとあなたの会社を継ぎたいという人材が現れ、円満な事業承継ができるはずです。

「自分の会社くらい無くなっても構わない」とは言わないでほしいのです。会社には「私益」「共益」「公益」の3つの益があると言いましたが、会社を潰してしまうということは全部の益がゼロになることを意味します。

私益がゼロになるのも痛いですが、共益・公益が失われることも社会にとって大きな痛手です。会社を作った者の責務として今後も存続させていく可能性を諦めてはなりません。自分は創業者じゃない、先代から継いだんだという場合も創業者の想いを引き継いだのですから責任は同じです。

廃業はいつでもできます。あなたの会社の価値が分かる後継者がどこかにいるかもしれないのです。それを探してからでも決断は遅くないはずです。

私は熊本に会社がありますので、まずは地元の中小企業オーナーたちに優秀な後継者候補と出会っていただきたいと思いLEADERSプロジェクトを運営しています。もちろん、自身が他人の会社を承継して苦労した思いから後継者候補の人たちの役に立ちたいという思いもあります。

新規事業でオーナーの共感が得られない壁

しかしながら、後継者候補側のニーズは捉えたものの思いのほかオーナーの共感を得るのに難航しました。

LEADERSプロジェクトを立ち上げた当初、後継者候補がたくさんいるプラットフォームを作って宣伝すれば後継者不在で困っているオーナーたちから反響があるに違いないと思っていました。

ところが、実際にテレアポやチラシ広告などを打ってみたところ反響はゼロでした。自分から中小企業オーナーの元に足を運んでの営業活動もしました。しかし、事業の説明をした途端お叱りを受けることが続きました。

お叱りの言葉は主に2種類あります。

1つは、「俺に引退しろということか！」自分はまだ元気で経営の第一線でいけるという自負があるのに引退の話をされて不快だというものです。

もう1つは「事業承継は諦めている。うちのことはほっといてくれ」廃業覚悟でいるのに水を差されたくない、余計なお世話だというものです。

LEADERSプロジェクトのチラシを見た社長からお呼びがかかり行ってみると、2時間超のお説教を受けたこともあります。

事業承継問題というのはナイーブな問題で、積極的に取り組みたいオーナーが少ないのだと知りました。

なぜ中小企業のオーナーたちは事業承継に消極的なのか……と原因を探っていくと、多くのオーナーたちに「引退で人生が変わってしまうことへの不安」があることが見えてきました。引退後に何をしていいか分からないので現役でいたいという思いです。

また、商工会議所などに事業承継の相談に行った際「会社が小さいからM&Aは無理」「今の業績では紹介できない」というような反応を返されることが多く、「もう手の打ちようがない」と絶望してしまうケースが多いことも分かりました。

まずオーナーたちの事業承継に対するモチベーションを上げないと、この事業はうまく行かないなと思いました。

そこから営業の仕方を改善したり事業内容の説明のポイントを中小企業オーナーに響くように工夫したりなどして、パートナー企業（後継者を探している企業会員）の登録が増えてきたところです。

オーナーたちに第4の事業承継の存在を知ってほしい

最近はM&Aが人気ですが、小さな会社はそもそも対象外のことが多いですし、一旦契約すると後戻りできないとか承継後に社員を一斉解雇されるなどのケースも少なくありません。企業理念もきちんと引き継がれないことが多く、会社の形だけが残って魂が別物になってしまう事例も見られます。

その点第4の事業承継なら、経営からは退いても株主で居続けられるので会社を見守ることが可能です。また配当を受け取ったり、少しずつ株を買い取らせることで老後資金の問題も解決できます。

さらに、後継者になるための勉強をしてきた後継者候補とのマッチングであれば、自社でするリーダー育成の手間を省略できます。マッチング後すぐに経営の引き継ぎに入って行けるので、会社の「魂」の部分にフォーカスした承継ができます。そして早ければ1年後には事業承継が完了することも不可能ではありません。

事業承継にまつわるサービスを提供している事業者もいくつかありますが、どこも後継者候補の供給過多で、継ぎたい会社が現れるのを待っている状態です。つまりオーナー側が後継者探しに乗り出せば、マッチング成功の可能性が高いのです。

これは当社の場合ですが、後継者候補には20代~50代の様々なバックグラウンドを持った人たちがいます。機械設計のエンジニア、製造業、医薬品の営業マン、公務員……etc.のように職種もバラエティに富みます。また、継ぎたい会社の希望や経営者になってやりたいことも、それぞれ違います。

彼らに共通しているのは志が高くて優秀な人材であることです。現在所属している会社でも重要な仕事を任されている人が多く、そのまま出世もできるのにあえて転職してでも会社を継ぎたいというくらいですから、いかに熱意があるかが分かっていただけると思います。

熱意ある者が最強の後継者

後継者に求める資質としては「熱意」が最も大事だと私自身は考えています。熱意はすべてのエネルギーの源になるからです。

メジャーリーグで数々の記録を打ち立てたイチロー選手は、なぜ最強の野球選手になれたのでしょうか。

もちろん運動能力や運にも恵まれていますが、何よりも「野球が好き」という情熱が彼を超一流の野球人に押し上げたのだと私は思います。もし彼がサッカーをやっていたら、ここまでの選手になれたかなと思うのです。

イチロー選手は最初オリックスに入団してからも二軍でくすぶっていた時期があります。一軍首脳陣に振り子打法を批判されゴロを打って塁に出ろと言われたこともありましたが、自身の打法を貫いて研究・改良し続けました。

その結果、恩師とも言うべき仰木彬監督に打撃センスを見込まれ一軍に引き上げられました。このとき登録名を本名の鈴木一朗から、カタカナ表記のイチローに変更したことは有名です。

その後の快進撃は私が説明するまでもありませんが、彼はどれだけ偉大になっても純粋な「野球好き」でした。だからこそあそこまで自分の野球を追求することができたに違いありません。

2019年3月の引退会見でイチロー選手は「小さい頃、プロ野球選手になるんだと言ったら大人からバカにされた」「メジャーで首位打者を獲りたいと言ったら周りからバカにされた」といった趣旨の発言をしていたと記憶しています。

周りから何と言われようと、プロ野球への夢を諦めないイチロー選手の信念の強さを改めて感じました。


その一方でイチロー選手は「野球は好きですか?」という質問に「野球はきつい。でも、野球しかできないから仕方ない」という回答もしています。なかなか一般人には言えない価値観だなと思いました。

おそらく彼は野球を通して自分の人生を作り上げているのだと思います。自分の人生を表現するのに最も適していたのが、野球だったのだろうと予想しています。そういう意味で、彼は野球を選び、野球に選ばれた天才と言えます。

会社の経営も同じで後継者が「この会社が好きだ」「今の事業が面白い」と思えるとき、最強の後継者になれるのだと考えます。人生を賭けるに値する仕事に出会える人は幸せ者です。

オーナーの皆さんには後継者が今の会社・事業を愛せるように、その魅力をしっかり伝えていってほしいと思います。オーナーの情熱が伝われば後継者候補の情熱と共鳴して良いマッチングができるに違いありません。

事業承継は高速道路で運転を代わること

ただしマッチングが成功したからといって、事業承継は成功だと安心するのはまだ早いです。

事業承継ではマッチングや株式譲渡の問題がクローズアップされがちですが、実は一番の難関はこの先に待っています。

事業承継を車の運転に例えると、高速道路で走っている車の中でドライバーを交代するようなものです。事業が進行している中でそれを停滞させることなく社長を交代しなければなりません。

交代するドライバーはもちろん無免許ではいけません。マッチングした相手が後継者用の勉強をしていない場合、経営のいろはを知らない無免許と同等です。すなわち、交代以前に勉強して免許を取得してもらう必要があります。これを自社で行うにしても、スクールに通わせるにしても時間を要します。

後継者用の勉強をしている相手だった場合は、運転免許があるのと同じなので一から教える必要はありません。ただ、自動車教習所で免許を取ってもすぐに高速道路をスイスイ走れるわけではないのと同じで後継者も経営は初心者マークです。ハンドルは後継者に握らせますが、近くでオーナーが手ほどきをしてあげないと危険です。

マッチング後にインターン期間をおくのはこのためです。

マッチング後のリーダーシップ移行が最大の落とし穴

経営には様々な要素がありますが、特に重要なのがリーダーシップです。これを円満に引き継ぐことが事業承継の成功・失敗を分けると言っても過言ではありません。

先代と後継者ではその立場や経験値から見えている世界が違います。同じ車の運転席から見る景色でも後継者は自分の手元が気になり、先代は他のものを見る余裕があるのと同じです。

この両者の差からお互いの気持ちや考えにずれが生じやすくなります。一枚岩でなければならない両者がバラバラに動くことで本来、先代が叶えたかった事業承継とはまったく別物になってしまうことがあります。

経営方針や事業目標がブレるので、従業員や取引先は混乱し、会社がカオス状態に陥ります。会社を見限る者も出てきたりして事業の継続に支障が出ることもあるのです。

そうなってから経営コンサルタントを入れて組織を立て直そうとしても一筋縄ではいきません。

最初の引き継ぎの段階ではオーナーと後継者、2名の意思統一ができれば大丈夫ですが、組織が混乱してからだとオーナー、後継者、従業員全員を対象に対策をしていかなければならないからです。考えただけでも頭が痛くなってきます。

そうならないためには経営を引き継ぐ入口の段階で、両者の意思統一を助けてくれる専門家にいてほしいところです。

ただし、世の中にはマッチング後のフォローに入ってくれる専門家が少ないのが現状です。後継者の紹介サービスや事業承継のマッチングサービスを提供している業者は様々ありますが、いずれもマッチングして終わり、株式譲渡して終わりのところが多いです。人間関係はスキームやマニュアルでは解決できないため、特別なスキルを持った人材が限られていることや人間臭くて面倒な部分にはタッチしたくない本音があるのだと思います。

橋渡し役がいなくても自分たちで対話ができる場合はよいですが、そうでない場合は十分な注意が必要です。

目指す事業承継の成功を明確化する

事業承継というのは会社の数だけあって、オーナーが違えば目指すべきゴールも違います。それこそ千差万別でどれ一つとして同じものはありません。事業承継に成功した人のやり方を真似ても自社が成功するとは限らないのが難しいところです。

自分だけのオンリーワンのゴールを目指すには、事業承継の「成功のビジョン」を持っておくことです。ビジョンがあれば進むべき方向を見失わずに済みます。

・何年後に事業承継を完了したいですか？
・どんな後継者に事業を承継したいですか？
・事業承継をすることで会社に何をもたらしたいですか？
・事業承継を終えたとき、自分はどうなっていたいですか？
・周りの人たちにはどうなっていてほしいですか？

これらを1つ1つ具体化することで成功のビジョンが明確になります。

例えば、

・できれば3年以内、遅くても5年後には事業承継していたい
・自社の事業に興味を持ち熱意と向上心のある人物、性格的には温厚で真面目、人を大切にする後継者がいい（趣味のゴルフを一緒にラウンドできる関係になりたい）
・会社の発展・成長。海外進出。100年企業になれるくらいのスタミナをつけてほしい
・退職金と自分年金で老後資金の不安なし。ゴルフでスコア100を切る。妻と年に1回は旅行。周りの人から「良い隠居生活だね」と羨ましがられる
・後継者、従業員、株主、取引先、私の家族もみんな笑顔

仕事を全部やり切って老後のお金の心配がなく、自分も周囲の人たちも幸せならこんな素敵な現役引退はありません。

この本で紹介した事業承継のスキームやポイントを押さえてもらえれば、読者のあなたにもきっと成功が訪れます。

事業承継を通して幸せの連鎖を作る

私はこの仕事を通して、次のようなオーナーを幸せにします。

・後継者がいない中小企業の高齢オーナー
・従業員も高齢化している
・M＆Aは事情があって選択できない、規模が小さく相手にされない
・心血を注いできた会社を残せるものなら残したい
・長く苦楽を共にした従業員の生活を守りたい
・これまでお世話になった取引先に迷惑をかけたくない
・私益は大事にしたい
・自社の存在価値に気付いていない
・情熱はあるが体力の低下で長くは続けていけないという不安を抱いているけれども、社長を引退することに踏ん切りがつかない

こうした悩みを解決したいのです。

この仕事を通して実現したいことは、「幸せの連鎖を作る」ことです。オーナーはもちろん、後継者、従業員、取引先、地域の人、それぞれの家族も含めて事業承継に関わるすべての人に「事業承継して良かった」と思ってもらえることが、私にとっての成功です。

今は地元の熊本をサポート圏にしていますが、いつかサポート圏を拡大してより多くの中小企業オーナーと後継者の縁結びをしていきたいと思います。

中小企業の後継者問題に様々な形で取り組んでいる事業者が私以外にもたくさんいます。それぞれがそれぞれのクライアントをがっしりサポートすることで、代替わりに悩むことのない日本社会が実現できたら最高に幸せです。

おわりに

私が経営する会社、南星は戦後にものづくりの会社として創業し、途中電機会社や不動産管理会社などを設立したり、吸収合併したり、閉鎖したりしながら、現在の企業体制になりました。今は本社で不動産管理業と事業承継支援サービス業、子会社で介護事業とフィットネス事業をやっています。

73年の業歴の中で時代に合わせて変化しながら、その時々で最も自社の強みが活かせる事業に挑戦し、新たな企業価値を開拓してきました。いつの時代も中小企業が生きやすかった時代などなかったはずで、それでも挑戦と成功を重ねてきた先代たちを誇りに思います。それと同時に私も負けていられないと闘志が湧いてきます。

事業承継支援サービス業は2018年8月に私が立ち上げました。新規事業にチャレンジした理由は多くの中小企業が後継者問題であえぎ、望まぬ廃業をするケースが増えている中、他人の会社を継ぐという経験をした私だからこそ見えるものがあり他にはできないサービスができると考えたからです。

こんなふうに会社というのは不変であるよりも、必要に応じてまた経営者の特性に応じて、自在に変わっていけるほうが生き残っていけます。それは長く続いている他の企業を見ても言えることです。

ですから、後継者に経営を譲ることで会社が変わっていくことを恐れないでほしいのです。後継者が前向きなチャレンジをしようとしているのなら、反対するより応援してあげて欲しい。経営の先輩として後継者の背中をそっと押してあげるようなアドバイスをお願いします。

私が会社を継いだとき、私にアドバイスをくれる先代はもうこの世にいませんでした。もし生きていたら私にどんな言葉をかけてくれただろう、私はどんなに心強かっただろうと考えることがあります。

私は先代の助けなく孤軍奮闘しましたが、読者のあなたは先代として後継者に言葉をかけてあげることができます。後継者の味方になってあげられます。それは後継者にとって、かけがえのない恵みになるはずです。

従業員にとってもあなたの存在は恵みです。後継者の後ろにあなたがいることで安心できるからです。

事業承継すると決めた日から会社の新しい扉が開きます。その扉の向こうにどんな未来が待っているでしょうか。

あなたは主役の舞台から降りますが、代わりに次の主役である後継者がストーリーを続けてくれます。あなたとは違うけれどあなたの魂を受け継いだ主役です。彼らが紡ぎ出すストーリーを楽しみに、ゆったりと老後を過ごすのも悪くないではありませんか。

私の先代Nさんも、天国で私が紡ぐストーリーを楽しんでくれていたらいいなと思う今日この頃です。

末筆になりましたが、この本を出版するにあたり沢山の方々のご協力を頂きました。出版のきっかけを下さった幻冬舎メディアコンサルティングの泉様。編集でお世話になった大貫様、立石様、ライターの松本様に心より感謝申し上げます。

２０２１年12月

宮部康弘

宮部康弘（みやべ・やすひろ）

株式会社南星代表取締役社長

九州東海大学機械工学科卒業後、住宅会社を経て保険業へ転職。現在はソニックジャパンに勤務。営業一筋25年。保険営業時代、2017年12月26日に当時保険のお客さまであった社長から「会社を継いでほしい」とメールがあり人生が一変する。後継者を求めている企業と後継者になりたい人たちの懸け橋を創る新規事業“LEADERS プロジェクト”を立ち上げる。2018年11月、株式会社南星の代表取締役に就任。

本書についての
ご意見・ご感想はコチラ

廃業寸前の会社を打ち出の小槌に変える
オーナー社長の最強引退術

2021年12月17日　第1刷発行

著　者　　　宮部康弘
発行人　　　久保田貴幸

発行元　　　株式会社 幻冬舎メディアコンサルティング
〒151-0051　東京都渋谷区千駄ヶ谷4-9-7
電話　03-5411-6440（編集）

発売元　　　株式会社 幻冬舎
〒151-0051　東京都渋谷区千駄ヶ谷4-9-7
電話　03-5411-6222（営業）

印刷・製本　中央精版印刷株式会社
装　丁　　　弓田和則
装　画　　　小西美幸

検印廃止

Printed in Japan
ISBN 978-4-344-93695-9 C0034
幻冬舎メディアコンサルティングＨＰ
http://www.gentosha-mc.com/